Omslag & Binnenwerk: Buronazessen - concept & vormgeving

Drukwerk: Ten Brink, Meppel

ISBN 978-90-8660-235-3

Postbus 30227
6803 AE Arnhem
www.ellessy.nl

Olga van der Meer

m/v

LIEFDESROMAN

HOOFDSTUK 1

Lang voordat haar wekker afliep, was Paulien Voorman al wakker. Met wijd open ogen staarde ze naar het plafond. De kamer was schemerig verlicht en ze zag de contouren van haar kledingkast, het hoge ladenkastje en haar kleine tv. Haar slaapkamer rook nog nieuw, naar verf, behanglijm en hout. Zoals de hele flat nog nieuw was. Alles zat strak in de verf, de plafonds waren spierwit en de houten vloer glansde van de oliebehandeling die ze hem gegeven had. Een nieuwe flat, een nieuw begin. En vanaf vandaag een nieuwe baan. Haar leven was ineens wel veranderd na de breuk met Frank. Drie maanden geleden woonde ze op de zolderverdieping van een groot herenhuis, had ze een LAT relatie met Frank Meelis en werkte ze naast haar opleiding als serveerster in een restaurant. Nu had ze een hele flat voor haar alleen en was ze aangenomen op de administratie van het plaatselijke ziekenhuis. Geen bijbaantje dit keer, maar haar eerste fulltime baan. Ze was volwassen aan het worden. Jammer dat daar een gebroken hart bij hoorde. Maar daar wilde ze niet aan denken. De afgelopen maanden waren heftig geweest, die wilde ze het liefst helemaal uit haar hoofd bannen.

Ze zette haar wekker uit voordat het ding zijn irritante gepiep kon laten horen en stapte uit bed. Ze zag als een berg tegen de komende dag op. Een nieuwe baan, met nieuwe mensen, dat vond ze best eng. Samen met een andere vrouw moest ze een kantoortje delen en ze kon alleen maar hopen dat ze een beetje met haar overweg zou kunnen. Tijdens haar sollicitatiegesprek had ze haar nieuwe, naaste collega niet ontmoet, omdat ze toen net

op vakantie was. Het enige wat ze wist, was dat ze ongeveer van haar leeftijd was.
Tijdens het douchen gleden Pauliens gedachten onwillekeurig toch weer terug naar de tijd die achter haar lag. De breuk met Frank had er ingehakt bij haar. Niet omdat ze nog van hem hield, maar omdat het zo heftig verlopen was. Hij had haar niet willen laten gaan, had haar zelfs gesmeekt hem nog een kans te geven. Uiteindelijk had ze daar in toegestemd, hoewel ze van tevoren al had geweten dat het tot mislukken gedoemd was. Frank en zij hadden elkaar niets meer te zeggen gehad. Ze waren uit elkaar gegroeid, deelden niets meer samen behalve het bed en haar verliefdheid op hem was een langzame dood gestorven door zijn stoere, vaak luidruchtige gedrag en zijn onbehouwen manier van doen. Enige vorm van zorgzaamheid was Frank vreemd. Er moest voor hem gezorgd worden. Dat werd haar extra pijnlijk duidelijk toen ze haar rechterpols had gebroken en Frank alleen maar liep te mopperen omdat dit zo lastig was voor hem. Het was teveel moeite voor hem om ervoor te zorgen dat er 's avonds een maaltijd voor haar klaar stond, ze moest zelf maar zien hoe ze zich daarmee redde. Dat was uiteindelijk de doodsteek voor hun relatie geworden. De spullen van hem die bij haar thuis lagen had ze bij elkaar verzameld in een doos en hem die zonder plichtplegingen overhandigd met de mededeling dat hij niet meer terug hoefde te komen. Toen hij merkte dat het haar dit keer ernst was, was het een onverkwikkelijke scheldpartij geworden. Daarna had hij haar bestookt met telefoontjes en stond hij zeker drie keer per week bij haar op de stoep. Net toen Paulien had overwogen naar de politie te stappen om aangifte van stalking te doen, liet hij

haar ineens met rust. Later had ze hem een keer in het centrum gezien, met zijn arm om een jonge blondine heen geslagen. Haar opvolgster. Blijkbaar had hij zijn affectie naar haar overgeheveld, iets waar ze alleen maar blij om kon zijn.
Met haar verhuizing naar deze flat had ze een definitieve streep onder hun relatie getrokken. Hier was Frank nooit geweest, dus er kleefde geen enkele herinnering aan hem aan haar nieuwe woonruimte. Samen met haar nieuwe baan was het met recht het begin van een heel nieuw leven.
Met zorg kleedde Paulien zich aan voor haar eerste werkdag. Een rechte, onopvallende, zwarte rok met een simpel bloesje erop. Ze had geen idee wat de leiding van het ziekenhuis op dit gebied voorschreef, maar dit was in ieder geval een veilige keuze. Met moeite werkte ze een boterham naar binnen. Haar moeder had haar altijd voorgehouden nooit de deur uit te gaan op een nuchtere maag en daar hield Paulien zich nog steeds aan. Het ziekenhuis was vanaf haar flat met een wandeling van nog geen tien minuten te bereiken, een bijkomend voordeel van haar recente verhuizing. Voor de hoofdingang bleef ze even staan om het imposante gebouw goed te bekijken. Hier zou ze dus voortaan haar dagen slijten. Als kind had ze altijd geroepen dat ze verpleegster wilde worden. Met het opgroeien was die wens naar de achtergrond geschoven, toch vond ze het heel bijzonder dat ze nu alsnog in een ziekenhuis kwam te werken, al was het dan op een heel ander vlak dan waar ze als kind van gedroomd had. De verpleging, met wisselende werktijden en vaak ingrijpende gebeurtenissen, was niets voor haar, wist ze inmiddels. Een baan van negen tot vijf, zodat ze wist waar ze aan toe was, paste veel beter bij haar.

Met een wild bonkend hart en klamme handen van de zenuwen, betrad ze het kantoortje waar ze de komende tijd iedere dag te vinden zou zijn. De jonge vrouw die al achter een computer zat, sprong direct overeind bij haar binnenkomst.
"Jij moet Paulien zijn, mijn nieuwe collega. Welkom op je nieuwe werkplek," was haar hartelijke begroeting. Ze gaf Paulien een stevige hand. "Ik ben Loes Landheer. We bemannen dit kantoortje gezamenlijk, dus ik hoop dat we een beetje met elkaar overweg kunnen."
"Dat zal best lukken," zei Paulien met een klein lachje. Er viel een last van haar af bij het aanschouwen van Loes. Ze was iets ouder dan zij en had een vriendelijk, open gezicht met opvallende, groene ogen die haar tegemoet straalden. Ze vond haar meteen al aardig.
Enigszins verlegen keek Paulien om zich heen in het kleine kantoortje. Het zag er gezellig uit, ze vermoedde dat Loes daar de hand in had gehad. Er stonden twee bureaus met daarop computers tegen elkaar aan geschoven. Een stalen archiefkast, bezaaid met vrolijke ijskastmagneetjes, vulde de achterwand. De brede vensterbank voor het kleine raam wat uitkeek op de parkeerplaats, stond vol met uitbundig bloeiende planten en aan de muren hingen kleurige posters.
"Ja, ik zit hier acht uur per dag, vijf dagen per week, dus het moet wel een beetje gezellig zijn," zei Loes nadat Paulien daar een opmerking over maakte.
"Die koelkastmagneetjes vind ik geniaal," prees Paulien lachend.
"Mooi hè?" Loes grijnsde breed. "Ik laat iedereen zo'n ding meenemen van vakantie. In de twee jaar dat ik hier werk is het een

hele verzameling geworden, afkomstig uit de gekste plaatsen. Wil je koffie?"
"Graag. Heb je dat hier dan?"
Loes wees op een kastje achter de deur, waar een Senseo-apparaat op stond en een blad met kopjes, poedermelk en suiker.
"Ik ben een enorme koffieleut. Je kunt je koffiepauze in de bedrijfskantine doorbrengen als je dat wilt, maar we kunnen ook hier onze pauze nemen. Het voordeel daarvan is dat we het dan gezamenlijk kunnen doen. Als je liever naar de kantine gaat is dat ook prima, maar dan moeten we apart pauze houden, want er moet altijd iemand bij de telefoon blijven. Lunchen doen we dus na elkaar. Ik van twaalf uur tot kwart voor één en jij de drie kwartier daarna. Als je het liever andersom wilt, vind ik het ook best."
"Jij bent niet moeilijk," begreep Paulien terwijl ze een kop koffie van Loes aannam.
"Klopt. Jammer genoeg dacht mijn laatste vriendje daar anders over," grinnikte Loes. Uit haar bureaulade haalde ze een koektrommel tevoorschijn, die ze Paulien voorhield.
"Heeft hij je laten zitten?" vroeg die nieuwsgierig. Meteen kon ze zichzelf wel voor haar hoofd slaan. Zoiets impertinents vroeg je toch niet zomaar? Loes had daar echter geen enkel probleem mee.
"Ja, vorige maand," vertelde ze openhartig. "Maar ik mis niet veel aan hem, hoor. Hij was er toch al bijna nooit, omdat hij zijn voetbalvereniging belangrijker vond dan mij. Ik zeurde daar teveel over, volgens hem. Maar ja, als je ziek in bed ligt en je vriend gaat weg voor de derde training die week, zonder zelfs maar een

glas water voor je neer te zetten, dan mopper je inderdaad wel als vrouw zijnde. Het was voor mij in ieder geval de druppel. We hebben er hoog oplopende ruzie over gehad, waarna hij onze relatie verbrak omdat er met mij niet te praten viel." Ze haalde laconiek haar schouders op. "Het zij zo. En jij?"
"Met mij valt prima te praten, denk ik," lachte Paulien. "Maar jouw verhaal klinkt akelig bekend. Mijn laatste relatie is om dezelfde reden verbroken. Ik had mijn pols gebroken en dat vond Frank erg lastig. Voor zichzelf, wel te verstaan. Het vrijgezellenleven bevalt me prima."
"Hoera!" Loes gooide haar armen in de lucht. "Gelukkig een gelijkgestemde ziel. Jouw voorgangster hier wilde persé trouwen, het maakte haar volgens mij niet eens uit met wie. In de twee jaar dat we hier samen gewerkt hebben, heeft ze heel wat vriendjes versleten en evenzoveel tranen geplengd als het weer eens op niets uit liep."
"En nu? Is ze getrouwd?"
"Getrouwd en geëmigreerd," knikte Loes. "Met een man die twintig jaar ouder is, kaal wordt en een hoofd kleiner is dan zij."
"Wel rijk zeker?"
"Zelfs dat niet."
De twee collega's keken elkaar aan en schoten gezamenlijk in de lach. Paulien voelde zich al helemaal op haar gemak in het gezelschap van Loes. Voor zover ze dat na een kwartier kon beoordelen, had ze het niet beter kunnen treffen.
"Maar goed, wij zijn dus allebei vrijgezel," hervatte Loes het gesprek. "Laten we dan eens samen iets gaan eten om elkaar goed te leren kennen. Als je vijf dagen per week samen zit opgesloten

in zo'n klein kantoortje, is het wel belangrijk om goed met elkaar overweg te kunnen."
"Doen we," stemde Paulien daar meteen mee in.
Door haar relatie met Frank was ze veel vriendinnen kwijt geraakt. Grotendeels door haar eigen schuld, omdat ze hen verwaarloosd had ter wille van hem, ze was eerlijk genoeg om dat toe te geven. Wellicht kon ze via Loes wat nieuwe mensen leren kennen en zo weer wat vriendschappen opbouwen.
Ze zetten hun inmiddels lege kopjes weg en Loes legde Paulien uit hoe het computerprogramma werkte. Daarna werkten ze een tijdje gestaag door, waarbij de stilte alleen werd onderbroken als Paulien een vraag over het werk stelde. Ze voelde zich een stuk lichter dan die ochtend het geval was geweest. Met deze Loes kon ze het wel een paar jaar in dit kleine kantoortje uithouden, dacht ze bij zichzelf. Ze had niet durven dromen dat de kennismaking met haar nieuwe collega zo goed uit zou pakken. Het had direct geklikt tussen hen.
Om twaalf uur ging Loes lunchen, drie kwartier later was het de beurt aan Paulien.
"De kantine is hier niet echt vlakbij," zei Loes. Ze legde haar uit hoe ze moest lopen, maar na drie gangen was Paulien het spoor al bijster. Vertwijfeld keek ze om zich heen. Volgens Loes' beschrijving zou ze nu bij de polikliniek van de neuroloog moeten zijn, maar wat ze zag was de afdeling bloedafname. Aarzelend deed ze een paar stappen die gang in, om daarna toch weer om te keren. Ze zat hier duidelijk niet goed. Maar waar moest ze dan wel heen? Op goed geluk sloeg ze een andere gang in, waarbij ze tegen een in het wit geklede man opbotste.

"Ho, kijk uit," zei hij. Snel pakte hij haar vast om haar voor een val te behoeden.
"Sorry," mompelde Paulien met een vuurrood hoofd. "Ik lette niet op."
"Dat was me duidelijk," zei hij op droge toon. Met een snelle blik nam hij haar op. "Slechte uitslag gehad soms?"
"Hè, wat?" Het duurde even voor ze begreep wat hij bedoelde. "Nee, nee. Ik ben geen patiënt. Sinds vandaag werk ik op de administratie en ik heb lunchpauze, maar ik ben verdwaald. Ik zoek de kantine."
"Dan zit je inderdaad helemaal verkeerd. Na de hal met de liften had je linksaf moeten gaan, in plaats van rechtsaf," legde de man haar uit. "Loop maar met mij mee, ik ben er ook naar op weg. Deze kant op." Hij hield haar tegen toen ze alweer verkeerd wilde lopen. "We moeten de gang in waar je net vandaan kwam. Je richtingsgevoel is niet echt goed ontwikkeld, hè?" zei hij geamuseerd.
"Ik heb het richtingsgevoel van een borrelnootje," bekende Paulien. "Leg me ergens neer en ik rol alle kanten op."
Zijn luide lach overstemde het geroezemoes van de mensen die in de rij voor de balie stonden.
"Maar gevoel voor humor heb je tenminste wel. Gelukkig maar dat je mij tegen het lijf liep."
"Ben jij van de prikdienst?" vroeg Paulien met een hoofdknik naar de balie.
Hij schudde zijn hoofd. "Ik werk op de kraamafdeling, maar ik moest wat buisjes bloed afgeven op weg naar de kantine, vandaar. Herman de Boer," stelde hij zichzelf voor.

"Paulien Voorman."
Ze schudden elkaar de hand, die hij net iets langer vasthield dan noodzakelijk was. Paulien keek in zijn mooie, bruine ogen en voelde zich warm worden van binnen. Het leek wel of er hier in het ziekenhuis alleen maar leuke mensen werkten, dacht ze plezierig bij zichzelf. Met Loes had het onmiddellijk geklikt en met deze Herman kletste ze alsof ze elkaar al heel lang kenden. Hij zag er goed uit, constateerde ze met een tersluikse blik opzij. Lang, een tenger postuur, bruine haren en ogen, een zacht gezicht. Een heel ander type dan Frank, die een regelrechte macho was. Deze Herman leek haar op het eerste gezicht heel lief en zorgzaam toe, wat zijn beroep ook wel verried. Ze zag Frank tenminste nog niet als verpleger aan het werk gaan, daar was hij met zijn egoïsme totaal ongeschikt voor. Het was hem zelfs al te veel moeite geweest om haar een beetje te helpen met haar gebroken pols.
Onder begeleiding van Herman kwam Paulien dan toch eindelijk in de kantine aan.
"Zullen we samen lunchen?" stelde hij voor. "Ik zie daar nog een tafeltje voor twee."
Het kwam geen seconde in Paulien op om dit voorstel af te slaan. Integendeel zelfs. Ze was als een blok voor deze man gevallen en wilde niets liever dan zo lang mogelijk in zijn gezelschap verkeren. Terwijl zij vast ging zitten voordat het tafeltje door anderen ingenomen zou worden, sloot hij zich aan in de rij voor de counter, nadat hij haar had gevraagd wat ze wilde eten. Dromerig keek ze naar zijn lange gestalte. Jeetje, ze leek wel een verliefde tiener in plaats van een volwassen vrouw.

Het werd een gezellig half uurtje met Herman samen. Paulien vroeg hem naar zijn werkzaamheden op de kraamafdeling en hij vertelde daar uitgebreid over. Het was haar wel duidelijk dat hij zijn werk met hart en ziel uitvoerde. Op haar beurt vertelde ze hem van haar verbroken relatie en haar verhuizing. De lunchpauze vloog op deze manier om, al kreeg ze amper een hap naar binnen.

Voordat hij naar zijn eigen afdeling ging, liep Herman een stuk met haar mee tot ze bij de gang aankwamen waar het kantoortje gesitueerd was.

"Nu kun je het verder wel vinden, hè?" vroeg hij ongewild komisch.

"Ik doe mijn best." Paulien knikte ernstig. "Bedankt Herman. Niet alleen voor het wijzen van de weg, maar ook voor de gezellige lunchpauze. Als ik jou niet tegen was gekomen had ik daar in mijn eentje aan een tafel gezeten."

"Je vindt vast snel aansluiting bij de andere medewerkers," zei hij bemoedigend. "Tot ziens, Paulien. We komen elkaar vast wel weer eens tegen ergens in deze gangen."

Dat hoopte ze dan maar. Met een verlangende blik in haar ogen keek Paulien hem na terwijl hij terug liep in de richting waar ze net vandaan gekomen waren. Eigenlijk had ze wel een vervolg verwacht. Een uitnodiging om morgen weer samen te lunchen bijvoorbeeld, of het verzoek om haar telefoonnummer. De blik waarmee hij haar aangekeken had, rechtvaardigde dat gevoel. Hij had beslist net zoveel interesse in haar als zij in hem, dat verbeeldde ze zich niet.

Met haar hoofd in de wolken betrad ze het kantoortje.

"Ik ben verdwaald en heb een fantastische man ontmoet," vertelde ze in één adem tegen Loes.
"Heeft het één met het ander te maken?" vroeg die nieuwsgierig.
Paulien knikte. "Nou en of. Hij heeft me de weg naar de kantine gewezen en daarna hebben we samen gegeten. Hij is echt geweldig, Loes. Knap, lief, gevoel voor humor," somde ze op.
Loes zuchtte en sloeg met een theatraal gebaar haar ogen naar het plafond. "Ik hoor het al, hopeloos verliefd. En ik dacht nog wel een bondgenoot te hebben gevonden in jou. Je laat me dus nu al, op onze eerste dag, jammerlijk in de steek."
"Sorry," grinnikte Paulien totaal niet berouwvol. "Ik was van plan om minstens een jaar geen man aan te kijken, maar dit overviel me als een plensbui. Ik heb gewoon kriebels in mijn maag. Weet je hoe lang het geleden is dat ik dat heb gevoeld?"
"Dan hoop ik voor je dat het iets wordt tussen jullie," verklaarde Loes hartelijk. "Hij heeft je de weg gewezen, zei je. Mag ik daaruit opmaken dat het iemand is die hier werkt?"
"Ja, op de kraamafdeling. Derde etage, toch? Hij heet Herman de Boer."
"Herman de Boer..." Loes sprak die naam langzaam uit, alsof ze hem proefde op haar tong.
"Ken je hem? Ga me niet vertellen dat hij getrouwd is en drie bloedjes van kinderen heeft," zei Paulien gespannen.
"Jeetje, je hebt het echt te pakken. Ja, ik ken Herman wel, voornamelijk van gezicht. We hebben ooit eens een kort praatje gemaakt tijdens een personeelsfeest en als we elkaar tegenkomen in de gangen groeten we elkaar, verder niet." Loes zoog haar wangen in. Er verscheen een nadenkende blik in haar ogen, waardoor

Paulien meteen gealarmeerd werd.
"Wat is er? Hij is wel getrouwd, hè?" vroeg ze moedeloos.
"Dat niet. Eigenlijk..." Loes aarzelde, praatte toen toch verder. "Eigenlijk heb ik altijd het idee gehad dat hij homo is. Maar daar kan ik me natuurlijk in vergissen," voegde ze daar snel aan toe bij het zien van Pauliens gezicht. Haar nieuwe collega was inderdaad onmiddellijk gezwicht, dat was wel duidelijk. Ze keek bij dit nieuws alsof ze haar laatste oortje had versnoept, hoewel ze Herman nog maar net had ontmoet.
De hele middag bleven die woorden in Pauliens hoofd rond zoemen. Herman homo... Nee, dat kon ze echt niet geloven. Misschien waren er meer mensen die dat dachten, omdat hij zo vriendelijk, zachtaardig en zorgzaam was, maar het ging er bij haar toch echt niet in. De blik in zijn ogen toen hij haar aangekeken had, vertelde een heel ander verhaal. Zij was op slag verliefd geworden op hem en wist wel bijna zeker dat hij die gevoelens beantwoordde. Zoiets voelde je. Nee, het kon absoluut niet! Resoluut schudde ze haar hoofd. Herman was geen homo en zij zou dat binnenkort bewijzen, daar was ze van overtuigd. Ze zouden hier nog raar op hun neus kijken straks!
Met een glimlach om haar lippen vervolgde ze haar werkzaamheden, die haar vlot afgingen. Haar eerste dag beviel haar in ieder geval uitstekend. Leuk werk, een directe collega met wie ze bijna op slag vriendinnen was geworden en de ontmoeting met een man die wel eens heel belangrijk voor haar kon gaan worden. Het zag er naar uit dat het de beste beslissing van haar leven was geweest om op deze baan te solliciteren.

HOOFDSTUK 2

De dagen erna keek Paulien voortdurend om zich heen als ze door de ziekenhuisgangen liep, maar ze kwam Herman niet meer tegen. Ze moest ineens opmerkelijk vaak naar het toilet en als er iets overlegd moest worden met een afdelingshoofd, was zij er als de kippen bij om dat te regelen, allemaal in de hoop Herman terug te zien. Jammer dat er niets was waarvoor ze op de kraamafdeling moest zijn.

"Dan verzin je toch iets," grijnsde Loes. Zij vond de pogingen van haar collega wel vermakelijk.

Ook in de kantine kwam ze hem niet meer tegen, hoewel ze een paar keer met Loes van lunchtijd had geruild om haar kansen te vergroten.

"Het lijkt wel of hij in het niets is opgelost," verzuchtte ze op een dag bij de koffie.

"Waarschijnlijk is hij gewoon vrij of draait hij nachtdienst," bedacht Loes nuchter. "Dat heb je nu eenmaal in de verpleging, ze hebben geen vaste werktijden."

"Ik ben al een paar keer 's morgens wat vroeger gekomen om de nachtdienst weg te zien gaan," bekende Paulien. Het schaamrood steeg naar haar kaken, want ze vond zelf dat ze wel erg wanhopig klonk. Maar tegen Loes kon ze zoiets wel zeggen. "Hij was er niet bij."

"Dat meen je niet. Dan zit het wel erg diep bij je," zei Loes. "Wat had je willen doen als hij wel naar buiten was gekomen? Hem ontvoeren?"

"Hem nonchalant tegen het lijf lopen en een praatje maken." Pau-

lien begon onwillekeurig te lachen. “Ik stond verdekt opgesteld om de hoek, klaar om tevoorschijn te komen zodra hij de deuren uitkwam. Zielig hè?”
“Je bent verliefd en verliefde mensen zijn nu eenmaal niet rationeel. Als ik hem zie zal ik het gesprek heel voorzichtig op jou brengen, kijken hoe hij reageert,” beloofde Loes haar terwijl ze haar lege kopje wegzette en haar toetsenbord weer naar zich toetrok.
“Ik ga nog even naar het toilet,” zei Paulien. “Ik moet echt,” voegde ze er aan toe bij het zien van Loes’ grijnzende gezicht.
Ze haastte zich door de lange gang naar de centrale hal, waar de toiletten gevestigd waren. Automatisch keek ze ondertussen scherp om zich heen. Eindelijk gebeurde dan toch waar ze al dagen vergeefs op had gehoopt. Bij het betreden van de hal zag ze Herman net weglopen bij de balie waar de beveiliging achter zat.
“Herman!” riep ze snel, voordat hij weg kon gaan zonder dat ze hem gesproken had. Snel liep ze op hem af. Ze had zelf niet in de gaten hoe haar ogen schitterden. “Wat leuk om je weer eens te zien.”
“Paulien.”
Het feit dat hij haar naam nog wist stemde haar blij en opgewonden. Dat moest haast wel een teken zijn dat hij nog aan haar had gedacht. Ze voelde de haartjes van haar onderarmen overeind gaan staan. Het effect wat deze man op haar had was ongekend voor haar. Dit had ze nog nooit gevoeld. Dat hij een stap naar achteren deed bij haar nadering, maakte daarbij niet uit. Ze zag alleen de blik in zijn ogen maar. Het even blij oplichten terwijl hij naar haar keek.

"Hoe is het met je?" vroeg hij desondanks vormelijk. "Al een beetje gewend aan je nieuwe werkplek?"
"Dat gaat geweldig," verzekerde ze hem. "Ik heb het hier enorm naar mijn zin. Dat kan ook haast niet anders met Loes als directe collega."
"Ik ken Loes wel, daar heb je inderdaad een goede aan," knikte Herman. "Sorry, maar ik moet terug naar de afdeling. Het is nogal druk momenteel, Regina zal het me niet in dank afnemen als ik te lang weg blijf."
"Wie is Regina?" wilde Paulien weten. Ze liep een stukje met hem mee terug de gang in, hoewel de toiletten aan de andere kant waren.
"Onze hoofdverpleegkundige. En geloof me, ze heeft de wind er goed onder. Niemand waagt het om haar tegen zich in het harnas te jagen. Ik duik hier de lift in. Dag Paulien."
Voor ze nog iets kon zeggen verdween Herman in een lift en had ze het nakijken. Met een plezierig gevoel in haar lichaam liep Paulien terug naar de hal. Pas op het toilet realiseerde ze zich dat hij erg afstandelijk had gereageerd. Maar de blik die in zijn ogen had gelegen, verried dat hij wel degelijk blij was geweest om haar te zien, daar kon ze zich niet in vergissen. Waarom dan toch die bijna afwerende houding? Misschien had hij het inderdaad gewoon druk, probeerde ze zichzelf in gedachten gerust te stellen. Hij had nu eenmaal werk wat zijn volledige aandacht opeiste.
"Wat ben je lang weggebleven. Alweer verdwaald?" vroeg Loes bij haar terugkomst in het kantoortje.
"Ik kwam Herman tegen."
"Eindelijk! Vertel." Loes leunde afwachtend achterover in haar

bureaustoel, ze keek Paulien nieuwsgierig aan. "Heeft hij je de liefde al verklaard? Heeft hij je in het openbaar in zijn armen genomen en hartstochtelijk gezoend?"
"Eerlijk gezegd wist hij niet hoe snel hij zich uit de voeten moest maken," vertelde Paulien met een grimas.
"Hij zal het druk hebben," troostte Loes haar.
"Dat hoop ik dan maar. Achteraf gezien was het een beetje gênant," drong het tot Paulien door. "Ik stormde op hem af alsof hij een lang verloren gewaand familielid was terwijl hij zowat weg vluchtte."
"Maak je er niet druk om. Het ergste wat je kan gebeuren is dat hij merkt dat je verliefd op hem bent en daar hoef je je tenslotte niet voor te schamen. Je zal het alleen wel moeten accepteren als hij die gevoelens niet beantwoordt en als ik jou zo hoor heeft het daar alle schijn van," zei Loes bedachtzaam.
Paulien schudde haar hoofd. "Dat kan ik niet geloven. Jij hebt niet gezien hoe hij me aankeek. Ik besef dat ik erg wanhopig overkom, maar het is echt zo. Bij onze eerste ontmoeting was die vonk er al, dat was echt geen fantasie van me."
"Als jullie echt voor elkaar bestemd zijn, komt het heus wel goed. Weet je wat?" Loes schoot overeind. "We gaan morgenavond samen stappen, even je gedachten ergens anders op richten. Wie weet wat een leuke man je dan tegenkomt."
"Dat stappen lijkt me een prima plan, dat gedeelte van die man sla ik echter over," zei Paulien.
Ze ging aan het werk, maar kon niet verhinderen dat haar gedachten voortdurend afdwaalden. Wat was dat toch? Ze had Herman slechts twee keer gezien, toch voelde het alsof hij een heel

groot, belangrijk, deel van haar leven uitmaakte. Er was een soort herkenning tussen hen geweest. Een weten dat ze bij elkaar hoorden, hoe pathetisch dat ook klonk. Ze had er zelf geen verklaring voor, dat gevoel was echter te sterk om te negeren. Maar waarom gedroeg hij zich dan zo afstandelijk? Waarom vroeg hij haar niet mee uit zodat ze elkaar beter konden leren kennen? Ze begreep het werkelijk niet.
Zoals gewoonlijk keek ze later, tijdens haar lunchpauze, om zich heen in de kantine. Herman was er niet. Ze schoof bij een paar verpleegkundigen aan een tafeltje en at met lange tanden haar slaatje en broodje ham op. Ineens schrok ze op. Op de één of andere manier voelde ze gewoon dat hij aanwezig moest zijn. Het leek of zijn ogen in haar rug brandden. Ze draaide zich om op haar stoel en zag hem inderdaad staan in de deuropening van de kantine, met zijn ogen strak op haar gericht. In plaats van naar haar toe te komen zwaaide hij echter alleen even, waarna hij zich omdraaide en wegliep. Ze voelde een brok in haar keel komen. Het begon erop te lijken dat hij haar bewust ontliep. Maar waarom? Ze had zijn aanwezigheid gevoeld, alsof ze telepathisch met elkaar verbonden waren. Ze kon zich niet voorstellen dat hij dat niet gemerkt had. Het was haar werkelijk een raadsel waarom hij zich zo opstelde.
De avond daarna besteedde ze extra veel aandacht aan haar uiterlijk voor het avondje stappen met Loes. Op voorstel van Loes gingen ze naar een club waar veel medewerkers van het ziekenhuis regelmatig kwamen. Paulien kon niet verhinderen dat ze een sprankje hoop in haar hart voelde toen Loes dat had gezegd. Dan was er dus een kansje dat ze Herman er tegen zou komen, hoewel

ze totaal niet wist of hij ook tot de vaste klantenkring van die club behoorde. Daar had ze Loes niet naar durven vragen. Ze kwam al wanhopig genoeg over als het om Herman ging, dat realiseerde ze zich maar al te goed. Het was ook zo moeilijk uit te leggen wat ze voelde, vooral ook omdat ze dit zelf nog nooit had meegemaakt. Het was of ze Herman tijdens hun eerste ontmoeting direct herkend had als DE man voor haar. Dat klonk echter zo overtrokken dat ze dat niet eens uit durfde te spreken. Ieder ander die zoiets zou zeggen, zou ze voor gek verklaren.
Gespannen keek ze later in de drukke club om zich heen. De vele mensen en het gedempte licht maakten het er echter niet makkelijker op om iemand te kunnen onderscheiden. Bovendien bevatte de club diverse ruimtes. Zij en Loes waren naar het dansgedeelte gegaan, maar er was ook een ruimte met brede loungebanken, waar zachte muziek gedraaid werd en een gedeelte wat als café was ingericht, met een bar en tafels en stoelen. De dansvloer was overvol. Ze moesten zich echt tussen de menigte in wurmen om zich uit te kunnen leven op de muziek.
"Laten we iets gaan drinken," stelde Loes op een gegeven moment voor. Ze moest schreeuwen om zich verstaanbaar te maken. "Even de kelen smeren en weg uit de herrie."
In de barruimte was het een stuk rustiger. Aan de bar stond een groepje mensen, verder waren er slechts enkele tafeltjes bezet. Paulien nam de aanwezigen stuk voor stuk op.
"Ik denk niet dat je Herman hier tegenkomt," zei Loes. Ze grinnikte bij het zien van Pauliens verschrikte gezicht. "Ja, je bent nogal doorzichtig. Ik heb geen idee of hij hier wel eens komt, ik ben hem in ieder geval nog nooit tegen gekomen."

"Ik was niet op zoek naar Herman," loog Paulien.
"Natuurlijk niet." Loes zond haar een knipoog. "Wat wil je drinken?"
"Witte wijn graag."
Terwijl Loes naar de bar liep nam Paulien plaats aan een tafeltje. Ze voelde zich lichtelijk beschaamd. Ze leek verdorie wel geobsedeerd. Als ze niet oppaste werd ze met dit gedrag straks de risee van het ziekenhuis. Of ze ging de bak in wegens stalking. Als ze inderdaad zo opvallend bezig was, was het geen wonder dat Herman zich afstandelijk naar haar opstelde.
Misschien moest ze maar eens proberen om hem uit haar hoofd en haar hart te zetten.
Even later kwam Loes naar haar toe met twee glazen witte wijn en twee jonge vrouwen in haar kielzog.
"Kijk eens wie ik bij de bar spotte," zei ze.
"Ik ken jullie van de kantine," zei Paulien. "Maar vraag me niet hoe jullie heten."
"Victoria," stelde de oudste zich voor. "En dit is Irene. We werken allebei op de kraamafdeling."
Weer maakte Pauliens hart het sprongetje wat ze zo vaak voelde als iemand iets zei wat ook maar een beetje in de richting van Herman wees. Dit waren directe collega's van hem, wellicht kon ze via hen iets meer over hem te weten komen. Haar voornemen van nog geen minuut geleden was ze op slag vergeten.
"Dat lijkt me ontzettend leuk werk," zei ze, het gesprek zo alvast de richting opduwend waar ze heen wilde.
"Meestal wel, niet altijd." Irene kwam naast haar zitten. "We maken natuurlijk ook wel eens mee dat een kindje gehandicapt ter

wereld komt of zelfs dood geboren wordt en dan is het heel erg zwaar. Wat we ook veel zien zijn moeders die er alleen voor staan omdat ze tijdens de zwangerschap in de steek zijn gelaten. Die liggen vaak huilend in de verloskamer. Wel blij met hun kindje, maar verdrietig vanwege de voorgeschiedenis. Zulke bevallingen zijn heel dubbel. Gelukkig is het aantal geboortes waarbij alles goed gaat en er twee dolgelukkige ouders zijn, ver in de meerderheid."

"De sfeer zal op jullie afdeling sowieso een stuk luchtiger en gezelliger zijn dan bijvoorbeeld op oncologie," bedacht Paulien. "Dat lijkt me pas echt zwaar. Ik kan me zo voorstellen dat er op die afdeling meer mannen als verpleegkundigen werken terwijl het bij jullie voornamelijk vrouwen zullen zijn."

Ze hoorde Loes onderdrukt grinniken en voelde een blos op haar wangen verschijnen. Ze durfde haar collega niet aan te kijken.

"Wij hebben twee mannen op onze afdeling werken," antwoordde Victoria in plaats van Irene. "Herman en Bob. Twee schatten van verpleegkundigen, kan ik wel zeggen. Onze patiënten reageren vaak een beetje afwerend als ze horen dat ze door een mannelijke verpleger worden geholpen. De meesten hebben toch liever een vrouw aan hun bed, maar als ze eenmaal kennis met ze hebben gemaakt vallen die vooroordelen weg."

"Nou zit er natuurlijk niet zoveel verschil tussen vrouwen enerzijds en Bob en Herman anderzijds," lachte Irene. "Vooral Bob is net een vrouw in zijn manier van praten en zijn gedrag. Ze zijn homo," verduidelijkte ze tegen Paulien.

Die voelde haar hart in haar knieën zinken. Dus toch... Loes had ook al zoiets gezegd op haar eerste dag, herinnerde ze zich. Het

was niet te rijmen met de manier waarop hij haar aangekeken had, maar Victoria en Irene zouden het wel weten. Die werkten dagelijks met hem samen. Ze durfde meteen niet meer verder te vragen.
"Echt waar?" schoot Loes haar te hulp. "Ik bedoel, van Bob weet ik het, die is daar ook totaal niet geheimzinnig over en hij heeft al jaren dezelfde vriend, maar Herman? Daar ben ik niet van overtuigd."
"Heb je hem wel eens goed bekeken?" giechelde Irene.
"Hij is nooit uit de kast gekomen, dat niet," antwoordde Victoria serieus. "Maar er zijn wel hele sterke vermoedens in die richting. Eigenlijk begrijpen we niet goed waarom hij er niet gewoon voor uitkomt. Het maakt niemand bij ons iets uit."
"Er zijn meer mannen met vrouwelijke trekjes die geen homo zijn," zei Loes.
"Je denkt dat we het mis hebben?" Victoria trok met haar schouders. "Kan. Het kan me ook eigenlijk niet zoveel schelen. Homo, hetero, biseksueel, ik vind alles prima. Als ze hun werk maar goed doen en daar mankeert bij Herman tenminste niets aan. Hij is heel erg gedreven, nooit te beroerd om een stap extra te lopen en de patiënten zijn zonder uitzondering allemaal heel erg op hem gesteld."
Irene knikte bevestigend. "Ik heb al heel wat mannelijke collega's gehad in de loop der jaren, maar zelden heb ik iemand gezien die zo betrokken is bij de patiënten. En bij de baby's, niet te vergeten. Hij is echt stapelgek op baby's."
"Toch zie ik hem niet direct als vader van een groot gezin," lachte Victoria alweer. "Willen jullie nog iets drinken?"

Zij en Loes stonden op om een nieuwe voorraad wijn bij de bar te halen. Irene begon te praten over een film die ze pas had gezien en Paulien kon niet anders doen dan daar in meegaan. Het gesprek opnieuw op Herman brengen zou te opvallend zijn. En trouwens, wat had dat voor nut, dacht ze moedeloos bij zichzelf. Victoria en Irene waren erg duidelijk geweest. Ze was blij toen Loes en Victoria terug kwamen bij het tafeltje, zodat die het gesprek met Irene voort konden zetten en zij even rustig na kon denken. Herman was homo... Het was een onwerkelijke gedachte, die er bij haar toch niet helemaal inging, hoe stellig zijn collega's er ook van overtuigd waren. Hij had inderdaad enkele vrouwelijke trekjes, dat kon ze niet ontkennen, maar homo? Ze kon het niet geloven, hoewel het wel zijn afstandelijke gedrag naar haar toe zou verklaren. Maar niet de blik in zijn ogen als hij haar aankeek. Die was echt, daar kon ze zich niet in vergissen. Zijn warme, bruine ogen, waar ze als een blok voor gevallen was. De klik was er bij hun eerste ontmoeting ook wel degelijk geweest.
"Hallo, waar zit je met je gedachten?" Irene wapperde met haar handen voor Pauliens gezicht, zodat ze opschrok. "Je was even heel ver weg, hè?"
"Een kilometer of vijf, schat ik in," zei Loes geamuseerd, daarmee de afstand tot het ziekenhuis aangevend.
"Sorry," verontschuldigde Paulien zich. "Waar hadden jullie het over?"
"We willen morgen naar de bioscoop," legde Irene uit. "Ga je mee? Er draait een goede komedie, ik heb er gisteren voorstukjes van op tv gezien."
"Jij bent echt een filmfreak, volgens mij," begreep Paulien.

"Mijn halve salaris gaat op aan bioscoopbezoeken en dvd's, dat klopt," gaf Irene toe. "Nou, ga je mee? Ik vind het wel gezellig zo met zijn vieren. Dan nemen we de middagvoorstelling en gaan we daarna ergens een hapje eten."
"Leuk," stemde Paulien toe.
"Je hebt geen vriend die je op zondag opeist?" vroeg Victoria.
"Nee, ik ben hartstikke vrijgezel."
"Zoals wij allemaal." Victoria knikte haar toe. "Welkom bij de club, zou ik zeggen. We zijn alle vier manloos, dus moeten we het met elkaar maar gezellig maken. Ik vind het tijdens mijn vrije weekenden wel leuk om met vriendinnen op stap te gaan. Door mijn wisselende diensten heb ik niet zoveel sociale contacten. Veel mensen vinden het lastig dat ik niet altijd af kan spreken wanneer het hun uitkomt."
"Ik heb ook geen vriendinnen meer over," vertelde Paulien. "Dat is grotendeels mijn eigen schuld. Ik heb ze verwaarloosd tijdens mijn laatste relatie, dus toen die verbroken werd had ik niemand meer om op terug te vallen. Een fout die ik niet snel meer zal maken."
"Dan heb je bij deze een nieuw stel vriendinnen," zei Irene hartelijk. Ze hief haar glas in de hoogte. "Op ons, dames. We hebben helemaal geen mannen nodig."
Ze proosten met zijn vieren op deze nieuwe vriendschap, waar vooral Paulien erg blij van werd. Na de breuk met Frank had ze zich vaak eenzaam gevoeld. Haar ouders leefden niet meer en met haar zus en twee broers had ze vrijwel geen contact. Hun gezin had altijd al als los zand aan elkaar gehangen, ze hadden elkaar nog maar sporadisch gezien sinds ze het ouderlijk huis

hadden verlaten. Na het wegvallen van hun ouders was dat nog minder geworden. Vlak na het beëindigen van haar relatie had ze haar studie afgesloten en haar bijbaan opgezegd, waardoor ook de contacten die ze daarbij had waren weggevallen. Nu begon haar leven echter weer vorm te krijgen. Een nieuwe flat, een nieuwe baan en nu ook nog een paar nieuwe vriendinnen. Alles waar ze enkele maanden geleden naar verlangde, kwam nu uit. Alles, behalve een nadere kennismaking met Herman. Die laatste gedachte sloop toch ongemerkt haar hoofd weer binnen.

HOOFDSTUK 3

Paulien kwam zonder problemen haar proeftijd door, iets wat ze die ochtend vierden met gebak bij de koffie. In de twee maanden dat ze nu in het ziekenhuis werkte, waren Loes en zij goede vriendinnen geworden. Ze hadden een band opgebouwd die ver boven die van slechts collega's uitging. Hoewel ze elkaar de hele dag zagen, spraken ze vaak ook 's avonds en in het weekend af. Ze raakten nooit uitgepraat en wisten inmiddels alles van elkaar af. Vooral hun vroegere relaties werden uitgebreid besproken, zoals alleen vrouwen dat onder elkaar kunnen doen. Regelmatig voegden Irene en Victoria zich bij hen. Ze vormden zo een gezellig vriendinnenclubje, maar Loes was onvervangbaar voor Paulien. Dit was voor het eerst dat ze een echte hartsvriendin had. Iemand bij wie ze altijd terecht kon.
En iemand die het nooit moe werd om naar haar verhalen over Herman te luisteren, dacht ze schuldbewust bij zichzelf toen ze merkte dat ze alweer over hem begonnen was.
"Misschien is hij wel heel erg verlegen," bedacht Loes terwijl ze de slagroom van haar moorkop aflikte. "En durft hij geen toenaderingspogingen te ondernemen."
"Daar was bij onze eerste ontmoeting niets van te merken," wierp Paulien tegen.
"Dat zegt niets. Als collega's met elkaar omgaan is heel iets anders dan iemand mee uit vragen voor een afspraakje. Maar hallo! Dit is natuurlijk wel de eenentwintigste eeuw, hè. Je hoeft niet lijdzaam af te wachten tot hij een keer de eerste stap zet, je kunt ook zelf het initiatief nemen."

“Dat durf ik niet,” bekende Paulien somber.
“Misschien denkt hij net zo en dan blijven jullie weken, wellicht maanden, om de hete brij heen draaien, allebei te bang om iets te ondernemen. Is dat wat je wilt? Wie weet wat je zo misloopt.”
“Of niet. Jullie denken nog steeds dat Herman homo is,” zei Paulien beschuldigend. “Iedereen mag hem graag, maar hij is geen potentieel partnermateriaal.”
“Klopt,” gaf Loes kalm toe. “En die gedachte heb ik nog steeds. Het is aan jou om het tegendeel te bewijzen. Of durf je het hem soms niet te vragen uit angst dat wij gelijk hebben? Je kunt niet ontkennen dat hij een vrouwelijke kant heeft.”
“Dat is waar,” moest Paulien tegen wil en dank toegeven. “Dat is juist de reden waarom ik op hem gevallen ben. Als ik Herman vergelijk met mijn ex Frank, komt Frank er wel heel bekaaid vanaf. Hij is een macho eerste klas, iemand die totaal geen rekening houdt met anderen, wiens eigen belang altijd voorgaat en die vindt dat een echte man zijn avonden bier zuipend door moet brengen terwijl hij sterke verhalen vertelt aan zijn vrienden. Daar zit echt geen spoortje gevoeligheid bij.”
“Waarschijnlijk ben je juist daarom verliefd geworden op Herman, het tegengestelde effect. Dat heeft zelfs een naam, geloof ik,” beweerde Loes.
“Dat kan me eigenlijk niets schelen, ik wil gewoon dat hij me een avond mee uitneemt en dat we elkaar beter leren kennen,” bromde Paulien.
“Vraag het hem dan.” Loes begon ongeduldig te worden, wat duidelijk te horen was aan haar stem. “Je zit al weken over hem te zeuren, zonder dat je actie onderneemt. Je moet je leven in eigen

hand nemen. Het geluk wordt je echt niet op een gouden presenteerblaadje aangeboden. Daar moet je zelf voor zorgen."
"Je hebt gelijk," zei Paulien ineens vastbesloten. "Ik ga hem inderdaad mee uit vragen, al is het maar om hem eindelijk eens uit mijn hoofd te kunnen zetten als hij weigert. Hoewel dat een harde dobber zal worden, vrees ik." Ze zuchtte diep. "Gek hè, ik ken hem nauwelijks, toch ben ik nog nooit eerder zo verliefd geweest op iemand. Het is zelfs meer dan verliefdheid. Het is bijna alsof ik hem herkende en meteen wist dat hij de man voor me is. Hoe vreemd het ook klinkt, het voelt voor mij alsof we voor elkaar bestemd zijn."
Nuchtere Loes trok haar wenkbrauwen hoog op, maar gaf geen commentaar. Als Paulien dat zo voelde, zou het wel zo zijn, al kon zij zich er geen voorstelling van maken. Ze hoopte alleen dat zij geen gelijk had met haar veronderstelling dat Herman homo was. Ze gunde haar vriendin het geluk van harte.
De dag erna besloot Paulien meteen tot handelen over te gaan, voordat ze de moed verloor. Ze vond het doodeng om Herman om een afspraakje te vragen, maar als ze het niet deed gebeurde er wellicht helemaal niets en dat vond ze nog erger. Tijdens haar lunchpauze keek ze vergeefs naar hem uit. Sinds haar eerste dag had ze hem nooit meer in de kantine gespot, op die ene keer na toen hij in de deuropening naar haar had staan kijken. Snel at ze haar brood op, de nog warme koffie liet ze voor de helft staan. Ze moest nu iets doen, anders kwam het er nooit van. Impulsief besloot ze naar de kraamafdeling te gaan om te kijken of Herman er was. Ze kon altijd net doen of ze Irene en Victoria een bezoekje kwam brengen tijdens haar pauze. Als medewerkster van

het ziekenhuis moest ze tenslotte iedere afdeling een keer gezien hebben, maakte ze zichzelf wijs.
Ze had geluk. Na wat zoeken vond ze Herman in zijn eentje in de zusterpost, bezig met het bijwerken van een dossier. Zijn ogen lichtten blij op toen hij haar zag, merkte Paulien op. Haar hart begon meteen luid te bonzen en al haar zenuwuiteinden begonnen te prikken. Het effect wat Herman op haar lichaam had was overweldigend. En nu keek hij haar alleen nog maar aan, ze kon zich bijna niet voorstellen wat het met haar lijf zou doen als hij haar zou zoenen. Alleen die gedachte al bezorgde haar rillingen van genot. De blik die hij haar toewierp gaf haar in ieder geval voldoende moed om hem de vraag te stellen die ze de avond daarvoor langdurig voor haar spiegel had gerepeteerd.
"Ik hoop dat ik je niet stoor," begon ze luchtig. "Maar ik wil je iets vragen."
"Ga je gang." Hij schoof het dossier meteen terzijde en keek haar afwachtend aan. Zijn ogen leken haar lichaam te strelen. "Het is niet druk vandaag, ik heb wel even tijd. Hier op de afdeling is het altijd hollen of stilstaan. Soms zijn er drie bevallingen tegelijk bezig, op andere dagen wordt er geen enkele baby geboren. Zo'n dag is het nu, dus kom maar op."
Paulien schoof een stoel naar achteren en ging tegenover hem zitten. Haar handen trilden. Dit moment was beslissend voor haar toekomst, dat voelde ze heel sterk.
"Ik eh… Ik wil je vragen of je zaterdagavond met me uit wilt," gooide ze er in één adem uit. Wachtend op zijn antwoord durfde ze hem niet aan te kijken, ze staarde volhardend naar het tafelblad.

Het bleef lang stil tegenover haar. Té lang naar Pauliens zin. Dat was geen goed teken.
"Ik kan zaterdagavond niet," antwoordde Herman toen. "Ik heb dienst dit weekend."
"Een andere avond dan?" Nu keek ze wel op, haar ogen boorden zich in die van hem.
Herman beet op zijn lip en het werd Paulien zwaar te moede. Dit zag er niet goed uit, hoewel ze amper kon geloven dat hij haar afwees. Zijn ogen spraken boekdelen, het was niet de eerste keer dat ze dat zag en voelde. Het was duidelijk dat hij haar minstens zo leuk vond als zij hem, dus als hij haar afwees moest hij daar een hele goede reden voor hebben. De enige reden die zij kon bedenken, was dat hij gebonden was. Volgens Loes was Herman niet getrouwd, maar dat zei niet alles.
"Het is lastig voor me," zei Herman.
"Waarom?" Paulien gooide nu al haar schroom overboord en legde haar hand op de zijne. Weer leken er vonken tussen hen heen en weer te schieten, net als bij hun eerste ontmoeting. Ze verdronk bijna in zijn mooie, bruine ogen. Heel even leek het of ze samen op de wereld waren en de tijd stilstond. "Ik vind je leuk, Herman. Ik wil je graag beter leren kennen. Als je al iemand hebt, zeg het dan gewoon, dan zal ik je niet langer lastig vallen."
Hij schudde zijn hoofd. "Ik ben vrijgezel."
"Wat is dan het probleem? Ik heb liever dat je het eerlijk zegt, ook als het antwoord niet vleiend voor mij is. Ik ben een grote meid, ik kan wel wat hebben."
Hij pakte de pen die op de tafel lag vast en tikte er nerveus mee op het blad. "Dat is moeilijk uit te leggen, het ligt nogal complex.

In ieder geval heeft het niets met jou te maken, Paulien, denk dat niet. Ik zit gewoon in een hele moeilijke fase, waar ik niet over kan praten. Ik begrijp zelf niet eens goed wat er aan de hand is."
"Dan kun je juist heel goed iemand gebruiken om je zorgen mee te delen en je gedachten op een rijtje te zetten," drong Paulien aan.
Ze kon maar amper geloven dat ze dit zei. Zij, verlegen Paulien, die zich zo opdrong aan een man, dat was ongekend. Zij was juist altijd het afwachtende type. Vroeger had ze heel wat stille verliefdheden ondergaan die altijd stil waren gebleven omdat ze nooit de eerste stap had durven zetten. En nu bood ze zichzelf zowat met huid en haar aan. Maar Herman was ook niet zomaar een man, dat had ze van het begin af aan geweten.
Weer bleef het lange tijd stil tussen hen. Herman worstelde met zichzelf, iets wat Paulien niet ontging. Vertwijfeld vroeg ze zich af wat er in vredesnaam met hem aan de hand kon zijn.
"Ik zie aan je dat je mij ook leuk vindt," zei ze zacht. "Als je niets met die gevoelens wilt doen, is dat je goed recht, maar ik begrijp het niet. Wat er ook aan de hand is, ik wil je er graag bij helpen. Samen sta je sterker dan alleen."
"Ik weet niet of dat kan," antwoordde hij. "Maar je hebt wel gelijk, ik vind je inderdaad leuk. Meer dan leuk zelfs. Juist daarom wil ik jou niet opzadelen met mijn problemen."
Haar hart maakte een sprongetje van vreugde bij zijn bekentenis. Zie je wel! Ze had zich niet vergist! Dat gaf haar moed genoeg om door te praten.
"We kunnen ook gewoon een gezellige avond hebben zonder over je problemen te praten. Ergens eten, daarna naar de bioscoop of

het theater. Dan heb je meteen wat afleiding. En als je wel wilt praten, is het ook goed."
Langzaam brak er een brede lach door op Hermans gezicht.
"Eigenlijk lijkt het me fantastisch om met jou op stap te gaan," bekende hij.
"Nou, wat let je?" zei Paulien expres luchtig.
"Vrijdagavond dan?" stelde hij voor. "Zaterdag ga ik de avonddienst in."
"Geweldig!" Haar hele gezicht lichtte op. Yes, het was gelukt! Het had weliswaar wat overredingskracht gekost, maar die afspraak stond. Ze kon bijna niet meer stil op haar stoel blijven zitten van opwinding. Dit had ze gehoopt, maar ze durfde zichzelf nu pas te bekennen dat ze het eigenlijk niet verwacht had.
"Ik kom je om zeven uur halen," beloofde Herman met zijn ogen vast in de hare.
Paulien hield haar adem in. Het leek of ze door een onzichtbare magneet naar elkaar toe werden getrokken. Langzaam, buiten zichzelf om, voelde Paulien haar gezicht zijn kant op gaan terwijl ze tegelijkertijd zag dat hij iets naar voren boog. Onwillekeurig opende ze haar lippen iets, in afwachting van wat er stond te gebeuren. Haar hart ging als een razende tekeer in haar borstkas. Op dat moment werd de deur van de zusterpost echter open gegooid en was het magische moment in één klap voorbij.
"Hé Paulien," zei Irene verrast. "Kom je ons een bezoekje brengen? Gezellig."
"Ja, ik wilde de werkplek van jou en Victoria wel eens bekijken," verzon Paulien ter plekke. Ze vroeg zich af of haar gezicht net zo rood was als het aanvoelde, maar Irene leek niets vreemd aan

haar te zien. "Maar ik zag jullie nergens, dus heb ik even met Herman gepraat."
"Victoria is vrij vandaag," vertelde Irene. "En ik was bezig met het ronddelen van medicijnen. Het is rustig vandaag."
"Dat zei Herman al, ja," knikte Paulien. Haar hoofd tolde en het kostte haar moeite om op normale toon te praten. Herman was ondertussen alweer verdiept in zijn dossier, al durfde Paulien er iets om te verwedden dat hij totaal geen aandacht had voor de tekst voor hem. Ze keek expres zijn richting niet meer uit.
"Wil je een rondleiding?" vroeg Irene.
"Een andere keer graag," antwoordde Paulien met een blik op haar horloge. Haar lunchtijd was al met tien minuten verstreken, zag ze. Loes zou niet blij met haar zijn. "De tijd is sneller gegaan dan ik dacht, zie ik. Ik ga gauw Loes aflossen, zodat zij ook kan lunchen."
"Zullen we meteen een afspraak maken voor een avondje film kijken?" stelde Irene voor. "Ik heb een paar nieuwe dvd's die jullie vast ook leuk vinden. Wat denk je van vrijdagavond? Ik ga zondag de nachtdienst in."
"Vrijdag kan ik niet," zei Paulien met een tersluikse blik op Herman. Ze zag dat hij een glimlach onderdrukte en werd warm van binnen. Geen enkele dvd kon goed genoeg zijn om de avond met Herman af te zeggen. "Zaterdag misschien, ik zal zo even met Loes overleggen, dan hoor je het wel."
"Zaterdag moet Victoria werken," wist Irene. "Jammer. Nou ja, volgende week dan ergens. Werk ze verder."
"Jij ook. Dag Herman."
Paulien vluchtte zowat de zusterpost uit. Irene zou vanzelf wel

een keer te horen krijgen dat ze met Herman uitging, maar dat wilde ze niet bespreken waar hij bij zat. Meer dansend dan lopend ging ze terug naar hun eigen kantoortje, waar Loes al ongeduldig op haar zat te wachten.
"Wat ben je laat," zei ze verwijtend. "Ik heb ook honger, hoor."
"Sorry. Ik ben even langs de kraamafdeling gegaan," vertelde Paulien.
"Wat?" Loes, al half in de startblokken voor haar gang naar de kantine, ging meteen weer zitten. "En? Laat maar, je hoeft niets te zeggen, ik kan het antwoord al van je gezicht aflezen. Je hebt je afspraakje te pakken," begreep ze. "Zie je wel, het is altijd verstandig om zelf het heft in handen te nemen. Hoe reageerde hij? Erg enthousiast?"
"Nou, enthousiast is een iets te groot woord," bekende Paulien. Ze ging zitten en wiste het zweet van haar voorhoofd af. Ze had het gevoel dat ze nu pas weer normaal kon ademen. Haar handen trilden gewoon nu de spanning van haar afgevallen was. "Ik moest hem wel overhalen." Woordelijk herhaalde ze het gesprek wat ze net met Herman had gevoerd. Loes' gezicht betrok bedenkelijk.
"Ik weet niet goed wat ik hiervan moet denken, hoor," zei ze eerlijk na afloop van Pauliens verhaal. "Het klinkt alsof hij met iets heel heftigs zit. Een gewoon huis- tuin- en keukenprobleem zou hij tenslotte wel gewoon kunnen vertellen. Wie weet wat voor ellende je jezelf op de hals haalt door met hem in zee te gaan."
"Daar heb ik ook aan gedacht, maar hij is het waard," verklaarde Paulien eenvoudig. "Wat het ook is, het kan mij niet afschrikken."
"Dat klinkt leuk, maar niemand kan in de toekomst kijken," zei

Loes verstandig. "Ik zou me nog een keer bedenken als ik jou was, Paulien. Je weet nu in ieder geval dat je verliefdheid beantwoord wordt, is dat voor het moment niet genoeg? Geef hem de tijd om eerst datgene waar hij mee worstelt op te lossen voordat jullie een relatie beginnen."

"Jij loopt harder van stapel dan ik. Er is voorlopig nog helemaal geen sprake van een relatie," beweerde Paulien. "We gaan samen een avondje uit zodat hij wat afleiding heeft, dat is voor nu alles. En als hij wil vertellen wat hem dwars zit, ben ik er voor hem. Als een vriend."

"En dat geloof je zelf?" merkte Loes sceptisch op. "Je zit aan alle kanten te stralen nu je dat afspraakje op zak hebt."

"Nou ja, het is een begin. Ik geloof echt dat dit uit gaat bloeien tot iets heel moois."

"In dat geval wens ik je heel veel geluk," zei Loes. Het lukte haar om dit niet sarcastisch te laten klinken, maar ze had de nodige bedenkingen bij het verhaal van Paulien. Het klonk in ieder geval niet alsof Herman dolblij was met het feit dat zij het initiatief had genomen. Blijkbaar stond hij niet te springen om met Paulien uit te gaan, het had eerder geklonken alsof Paulien hem geen enkele keus had gegeven.

Piekerend liep ze door de lange gangen naar de kantine. Dit beviel haar helemaal niet. Ze vond Herman een aardige man, maar blijkbaar was hij iemand met een duister geheim en ze gunde haar vriendin wel wat beters. Loes was er voor zichzelf nog niet helemaal uit dat Herman geen homo was. Wellicht was dat zelfs het probleem waar hij mee worstelde, dat hij nog steeds niet echt uit de kast durfde te komen. In dat geval stond Paulien heel wat

verdriet te wachten, vreesde ze. Die was serieus verliefd op hem. Dit was geen bevlieging, zo goed kende Loes haar vriendin inmiddels wel. Ze kon alleen maar hopen dat Hermans problemen wel mee zouden vallen en dat deze lovestory een happy end zou hebben, maar eerlijk gezegd had ze daar een hard hoofd in.
Paulien had totaal geen last van dit soort bedenkingen. Ze had plaats genomen achter haar computer en voor een toevallig passerende voorbijganger leek het alsof ze hard aan het werk was, maar in werkelijkheid waren haar gedachten overal, behalve bij haar computerscherm. Ze ging met Herman uit! Die gedachte overheerste alles. Zo zeker alsof het haar verteld was, wist ze dat deze avond bepalend zou worden voor de rest van haar leven. Ze voelde het. In Herman had ze haar soulmate gevonden, de man met wie ze haar leven ging delen. Paulien wist dat iedereen haar voor gek zou verklaren als ze dit hardop zei. Normaal gesproken zou zij zelf de eerste zijn om tegen haar voorhoofd te tikken bij een dergelijke verklaring, maar er was geen andere manier waarop ze haar gevoelens kon verwoorden. De breuk met Frank met pal daarna haar baan hier in het ziekenhuis, dat was allemaal voorbestemd geweest. Het leven duwde haar gewoonweg in de richting van Herman. Geen enkel probleem van hem, hoe zwaar het misschien ook was, kon daar verandering in brengen. Sterker nog, ze was ervan overtuigd dat ze op zijn pad was geplaatst om hem daarmee te helpen. Samen konden ze alles aan, dat gevoel had ze zo sterk dat alle rationele bezwaren daarbij in het niet vielen.

HOOFDSTUK 4

Eindelijk, voor Pauliens gevoel had het weken geduurd in plaats van slechts drie dagen, brak dan toch de bewuste vrijdagavond aan. De avond waarop haar leven voorgoed zou veranderen. Zenuwachtig was ze niet, wel had ze een prettig gevoel van verlangen. Ze was die dag een uur vroeger naar huis gegaan om zich voor te bereiden op de avond. Een lange douche, een lekkere bodylotion, subtiele make-up en natuurlijk een mooi lingeriesetje voor je-weet-maar-nooit.

Stipt om zeven uur stond Herman voor haar deur. Hij nam haar bewonderend op, wat Pauliens zelfvertrouwen deed groeien.

"Zullen we maar gaan? Ik heb een tafel besproken om half acht," zei hij na de begroeting, die bestond uit een lichte kus op haar wang.

Galant hielp hij haar in haar jas, waarna hij de deur voor haar open hield. Wat heerlijk om zo behandeld te worden. Al het feminisme ten spijt genoot Paulien ervan. In het hoofd van Frank was zoiets nooit opgekomen. Die presteerde het zelfs om als eerste door een deuropening heen te gaan om de deur vervolgens los te laten, zodat zij snel moest reageren om hem niet in haar gezicht te krijgen. Wat was Herman dan anders. Het voelde als een verademing voor Paulien. Zij vond het wel iets hebben om als vrouw behandeld te worden in plaats van als iemands maatje.

Onderweg spraken ze weinig, maar er hing geen gespannen stilzwijgen tussen hen. Het restaurant wat Herman had uitgekozen was klein en gezellig. Omdat de tafeltjes zo stonden opgesteld dat de gasten geen last van elkaar hadden, hing er een intieme sfeer.

De inrichting was een mix van retro en modern en de verlichting was indirect, verborgen achter de wandpanelen.
"Wat gezellig," riep Paulien spontaan uit.
"Het is hier niet alleen leuk, het eten smaakt ook uitstekend," wist Herman te melden. "Ik kwam hier vroeger wel eens met mijn ouders."
"Wat chique. Wij kwamen nooit verder dan de McDonald's," grinnikte Paulien. "Er was geen geld om in restaurants te eten, met vier kinderen."
"Ik ben enig kind," vertelde Herman nadat hij een stoel voor haar had aangeschoven en ze tegenover elkaar aan een tafeltje zaten. "Mijn ouders hebben altijd allebei een fulltime baan gehad, ik zat op de crèche. Maar ik ben nooit iets tekort gekomen, hoor. Mijn ouders zijn schatten van mensen. Als ze thuis waren, waren ze er ook echt voor mij. Jij had het dus wat drukker thuis, begrijp ik, met drie broers of zussen. Was dat leuk?"
"Soms wel, soms niet." Paulien nipte van haar witte wijn. "Ik weet natuurlijk niet beter. We waren met twee meisjes en twee jongens, maar de gezelligheid brachten we niet aan. Eigenlijk hebben we altijd allemaal onze eigen levens geleid, inclusief onze ouders. We zijn nooit een hecht gezin geweest. Je hoort wel eens van die verhalen over gezinnen die iedere avond met zijn allen aan tafel eten, waarbij alle verhalen van die dag loskomen. Het gezelligste moment van de dag, noemen ze dat. Nou, dat was er bij ons niet bij. We kwamen en gingen hoe het ons uitkwam. Het gebeurde ook regelmatig dat onze ouders er niet waren, dan lag er geld op tafel om een zak patat te kopen."
"Dan heb ik het beter getroffen, ondanks de crèche waar ik op

zat," knikte Herman. "Sommige mensen vonden me zielig, maar ik heb het er altijd leuk gevonden, voor zover ik me kan herinneren. Overdag zat kinderen om mee te spelen en 's avonds de onverdeelde aandacht van mijn ouders. Het beste van twee werelden dus. Zie je je familieleden nog wel regelmatig?"

"Nee. Onze ouders leven niet meer en wij broers en zussen hebben nog maar amper contact met elkaar. Mijn zus woont in Australië met haar gezin, mijn jongste broer is twee maanden geleden voor een jaar naar Amerika vertrokken voor zijn werk en mijn andere broer is destijds na een hevige ruzie het huis uitgegaan, waarna hij alle contacten met ons heeft verbroken. Ik heb hem al jaren niet meer gezien of gesproken, hij is niet eens gekomen toen kort na elkaar onze ouders overleden. Ik weet niet eens waar hij woont. Eigenlijk is er dus niets meer over van dat grote gezin van vroeger."

"Wat jammer," meende Herman. "Ik heb mijn ouders gelukkig nog wel, al wonen ze niet in de buurt. Mijn vader is al wat ouder en gepensioneerd. Niks doen is echter niets voor hem. Mijn moeder heeft haar baan opgezegd en daarna zijn ze naar Friesland verhuisd, waar ze nu samen een watersportbedrijf runnen. Vooral mijn vader is gek op varen. Vroeger had hij er geen tijd voor, maar nu zit hij constant op het water. Ze hebben een oude zeilboot gekocht die hij eigenhandig heeft opgeknapt tot een juweeltje."

Zijn stem klonk warm terwijl hij over zijn ouders praatte, merkte Paulien.

"De problemen waar jij mee zit hebben dus niets met je ouderlijk huis of je afkomst te maken," vertolkte ze hardop haar gedach-

ten. "Zo te horen heeft je jeugd niet voor trauma's gezorgd."
Hermans gezicht kreeg een afwijzende trek. Hij leunde achterover in zijn stoel, alsof hij zo de afstand tussen hen wilde vergroten.
"We zouden het niet over mijn problemen hebben," herinnerde hij haar. "Dit moest een gezellige avond worden, een afleiding."
"Sorry." Paulien boog zich juist voorover. Ze wilde zijn hand pakken, maar die trok hij onwillig terug. "Ik wil je helpen," zei ze dringend. "Ik zie dat je ergens mee zit. Waarom laat je mij niet toe? Met zijn tweeën kun je meer aan dan in je eentje."
"In dit geval niet. Hier moet ik alleen uit zien te komen."
"Waarom?" vroeg ze nogmaals. "We zijn vrienden."
"Vrienden?" Hij stiet een hoog lachje uit. "We kennen elkaar nauwelijks."
"Soms klikt het nu eenmaal meteen tussen twee mensen. Op het gevaar af dat je me nu erg opdringerig vindt, durf ik wel te zeggen dat ik hoop dat het meer wordt dan vriendschap. Er is iets gaande tussen ons, je kunt me niet wijsmaken dat jij dat niet gevoeld hebt."
"Geloof me, ik ben geen relatiemateriaal," zei Herman stug. Hij keek haar niet aan, maar staarde langs haar heen naar de muur achter haar.
"Dat geloof ik niet. Ieder probleem heeft een oplossing, ook het jouwe," zei Paulien zacht. "Ik wil je er graag mee helpen. Alleen erover praten kan al verhelderend werken en een stuk gewicht van je schouders afhalen."
"Sommige dingen moet een mens juist in stilte afhandelen. Ik vind het lief dat jij je zo om me bekommert, maar ik wil er niet

over praten. Als je dat niet kunt respecteren, breng ik je nu thuis."
Er werd haar een onmiddellijk antwoord bespaard omdat het voorgerecht werd gebracht, zodat ze even de gelegenheid had om na te denken. Het probleem waar Herman mee worstelde, moest wel heel heftig zijn, anders zou hij nooit zo reageren. Hij had duidelijk meer tijd nodig voordat hij haar genoeg vertrouwde om het bespreekbaar te maken.
"Het spijt me," zei ze zodra de ober zich van hun tafel verwijderd had. "Ik zal erover ophouden, maar als je zover bent dat je wel wilt praten, dan ben ik er voor je."
Herman knikte. "Dank je," zei hij slechts.
Ze aten zwijgend hun voorgerecht op, met slechts een enkele opmerking over de kwaliteit van het eten.
"Vertel eens iets over je werk," verzocht Paulien terwijl ze wachtten tot de hoofdschotel werd geserveerd. "Als klein meisje wilde ik ook verpleegster worden, dus het beroep intrigeert me."
"Het is heerlijk werk," zei Herman meteen. "Ik kan me niet voorstellen dat ik ooit iets anders ga doen. Regina heeft de wind er goed onder, maar niet op een vervelende manier. De sfeer onderling is prima. We hebben ook een fijne ploeg momenteel. Niemand die de kantjes eraf loopt, geen gezeur over een uurtje extra werk als dat zo uitkomt en we kunnen van elkaar op aan. Ik heb het echt getroffen daar."
"Het is toch niet het meest gebruikelijke beroep voor een man," meende Paulien. "Kraamverpleger, dat is toch eerder iets waar kleine meisjes van dromen. Wanneer wist je dat je dit wilde gaan doen?"
"Tijdens mijn opleiding. Ik moest stage lopen op diverse afdelin-

gen en de kraamafdeling sprak me daarbij het meeste aan, al had ik er van tevoren nooit bij stilgestaan om dat te gaan doen. Het is inderdaad meer een vrouwenberoep, met die baby's. De sfeer is echter totaal anders dan op andere verpleegafdelingen. Hier voert geluk de boventoon. Natuurlijk gaan er ook wel eens dingen mis en maken we heftige drama's mee, maar het merendeel van de patiënten gaat dolgelukkig naar huis, met een gezond kind in de armen. Dat schenkt enorm veel voldoening. Als man zijnde ben ik inderdaad in de minderheid, maar dat is wel het laatste waar ik me druk om maak. Ik heb één mannelijke collega, Bob, en samen kunnen wij de overmacht aan vrouwen wel aan."

"Ik ken Bob nog niet, ik heb wel van hem gehoord. Hij is homosexueel," zei Paulien. Ze bracht dit expres ter sprake in een poging om Herman uit zijn tent te lokken. Als Loes gelijk had over zijn geaardheid en dat was inderdaad het probleem waar hij mee zat, dan was een gesprek in die richting misschien net het duwtje wat hij nodig had om ermee naar buiten te komen. Al hoopte ze natuurlijk met heel haar hart dat dit niet het geval was, dat zijn problemen op een heel ander vlak lagen.

"Ja, en?" Herman trok zijn wenkbrauwen hoog op.

"Daar bedoel ik niets mee," haastte Paulien zich te zeggen. "Ik heb niets tegen homosexuelen, ik beoordeel mensen op hoe ze zijn en niet op wat ze zijn. Het bevestigt echter wel het vooroordeel dat kraamverpleger zijn niet echt een mannelijk beroep is. Jij bent, denk ik, een uitzondering."

"Dat zal wel meevallen. Op de opleiding zaten meer mannen die uiteindelijk die richting in zijn geslagen," zei Herman kalm.

Hij trapte de open deur dus niet verder in, peinsde Paulien. Aan

de ene kant was dat een geruststelling, aan de andere kant zei hij nog niets. Hij had niet ronduit gezegd dat hij hetero was.
Het gesprek werd wat algemener, over hun hobby's en hun jeugd. De avond vloog op deze manier ongemerkt om. Ze kletsten zo gemakkelijk met elkaar dat het leek of ze elkaar al jaren kenden. De sterke verliefdheid die Paulien toch al voor hem voelde, werd nog eens honderdmaal versterkt. Deze man wilde ze gelukkig maken. Het klikte zo enorm goed tussen hen dat ze daar geen moment aan twijfelde. Hij had zich in haar leven en haar hart genesteld.
"Daar is het toetje," zei Herman op een gegeven moment. Hij keek goedkeurend naar het schaaltje met chocolademousse, slagroom en pistachenoten wat voor hem werd neergezet. "Als dit net zo smaakt als het eruit ziet, zal ik niet klagen. Wat heb jij?"
"Citroentaart met caramelsaus," antwoordde Paulien. "Het klinkt niet echt als de ideale combinatie, maar een mens moet alles proberen in het leven."
"Ik wil een hapje proeven." Herman boog zich voorover over het tafelblad, zijn mond iets geopend. Giechelend voerde Paulien hem een hapje van haar taart. "Heerlijk, nu jij."
Hij schepte iets van zijn mousse op het lepeltje en hield dat haar voor. Langzaam, met haar ogen in de zijne, likte Paulien het lepeltje af. Er hing ineens een heel andere sfeer tussen hen. Spanning, maar geen vervelende. Voorzichtig legde Herman zijn hand op de hare, een gebaar waarvan alle haartjes op haar armen overeind gingen staan. Het leek wel of er een kudde ossen rondrende in haar buik, zo beroerde die zich.
"Laten we na het toetje maar een einde aan de avond maken," zei Herman schor. "Het lijkt me beter om niet meer naar de bioscoop

te gaan, ik breng je zo thuis."
Het leek of Paulien een klap op haar hoofd kreeg, zo hard kwamen zijn woorden bij haar aan. Dit was niet wat ze verwacht had bij de spanning die plotseling tussen hen was ontstaan. Een voorstel om met haar mee naar huis te gaan, lag eerder in de lijn der verwachtingen. Maar misschien bedoelde hij dat ook en waren de woorden gewoon verkeerd uit zijn mond gekomen. Ze besloot er niet naar te vragen, maar af te wachten wat er zou gebeuren als ze bij haar huis arriveerden.
Zorgzaam als altijd hielp Herman haar in haar jas. Zijn hand steunde licht op haar onderrug terwijl ze naar zijn wagen liepen. De terugtocht naar haar huis verliep nog zwijgzamer dan tijdens de heenweg het geval was geweest. Eenmaal aangekomen in de straat waar Paulien woonde, parkeerde Herman zijn wagen op een open plek, waarna hij, evenals zij, uitstapte. Nieuwe hoop vulde haar hart. Zou hij dan toch...? Bij haar voordeur stak hij echter vormelijk zijn hand naar haar uit en bedankte hij haar voor de leuke avond.
"Ga je niet nog even mee naar binnen?" flapte Paulien eruit.
Hij leek te aarzelen, schudde toen toch zijn hoofd.
"Dat lijkt me niet zo verstandig."
"Waarom niet?" waagde ze te vragen. "We zijn volwassen mensen. Het leven hoeft niet altijd verstandig geleefd te worden, het mag ook wel eens gewoon leuk zijn."
"Nee, ik ga naar huis," zei Herman beslist. "Sorry, Paulien."
"Je hoeft je niet te verontschuldigen. Het is alleen... Ik had iets anders verwacht." Triest haalde ze haar schouders op. "Dan ga ik maar naar binnen. Dag Herman, bedankt."

Hoewel ze zich groot probeerde te houden, trilde haar hand zo dat ze de sleutel niet goed in het slot kreeg. Zwijgend pakte Herman de sleutel af, waarna hij haar deur voor haar opende. Bij het teruggeven van de sleutel raakten hun handen elkaar. Weer ervoer Paulien de sensatie van een prikkelend lichaam, veroorzaakt door dit ene, simpele gebaar. Hun ogen vonden elkaar en als in slow motion zag ze zijn gezicht naderbij komen. Ze hield haar adem in, in afwachting van wat er zou komen. Vlak voor zijn lippen de hare raakten, trok hij echter abrupt terug. Hij deed zelfs haastig een stap naar achteren, waarbij hij bijna over een losse stoeptegel struikelde.
"Het spijt me... Ik eh... Tot ziens," hakkelde hij.
Verbijsterd keek Paulien toe hoe hij bijna weg rende en snel in zijn auto stapte. Wat was dit? Waarom gedroeg hij zich ineens zo? Iedere keer als zij dacht dat ze nader tot elkaar kwamen, hield hij de boot af. Waarom in vredesnaam? Hij had niet verborgen kunnen houden dat hij wel degelijk om haar gaf, dus ze kon geen enkele verklaring vinden voor dit gedrag. Automatisch ging ze naar binnen en draaide ze haar deur van binnen op het nachtslot, zoals ze iedere avond deed. Puur uit gewoonte, want haar gedachten waren er niet bij. Een kwartier later lag ze in bed, de hele avond in gedachten nog eens nagaand. Het was zo leuk geweest. Zo ontspannen ook, behalve dat moment waarop ze naar zijn problemen had gevraagd. Voor de rest was er echter geen wanklank gevallen tussen hen. Zo piekerend viel ze in een onrustige slaap, maar bij het wakker worden de volgende ochtend stond het haar meteen weer helder voor ogen. Ze begreep het simpelweg niet.
Om negen uur begon haar mobiel al te rinkelen en hoopvol deed

ze een duik in haar tas om het toestel te zoeken. Dit kon bijna niet anders dan Herman zijn. Tot haar teleurstelling was het de naam van Loes die op het display verscheen, toch nam ze op.
"En?" klonk de vrolijke stem van haar vriendin in haar oor. "Ik kon niet langer wachten, ik ben zo nieuwsgierig hoe het gegaan is tussen jullie. Ik stoor toch niet?" Ze begon te giechelen. "Goh, daar denk ik nu pas aan. Is hij bij je?"
"Was het maar waar," antwoordde Paulien somber. "Het leek er wel even op, maar op het laatste moment bedacht hij zich blijkbaar. Het was zo vreemd, Loes." Ze vertelde wat er gebeurd was.
"Ik weet niet wat ik ervan moet denken," zei Loes eerlijk. "Echt Paulien, hier kan ik geen trui van breien."
"Hij geeft zulke gemengde signalen af. Het ene moment weet ik heel zeker dat hij net zoveel om mij geeft als ik om hem en het volgende moment trekt hij zich helemaal in zichzelf terug en is hij onbereikbaar. Ik weet niet waar ik aan toe ben met hem."
"Dit wil je vast niet horen, maar als ik jou was zou ik het afkappen," adviseerde Loes. "Het ligt blijkbaar zo complex voor hem, daar moet je niet eens aan willen beginnen."
"Daar is het al te laat voor," zei Paulien. Ze rechtte haar rug. "Nee, ik ga iets anders doen."
"Wat dan?" wilde Loes weten.
"Uitleg vragen," antwoordde Paulien resoluut. "Ik ga naar hem toe en vraag hem waar hij mee bezig is. Als hij niet verder wil met me zal ik me daarbij neer moeten leggen, maar dan wil ik wel zekerheid hebben. Hier word ik gek van."
"Nou, succes," wenste Loes nog.
Paulien trok meteen haar jas aan voor ze zich kon bedenken. Ze

wilde niet nadenken over wat ze ging doen, want dan krabbelde ze misschien alsnog terug. De gedachte dat Herman zou zeggen dat hij inderdaad niets met haar wilde, deed haar rillen van afschuw. Maar ze moest weten waar ze aan toe was, deze onzekerheid kon ze niet langer verdragen.
Als medewerkster van de personeelsadministratie van het ziekenhuis had ze uiteraard inzage in de persoonsgegevens van de medewerkers. Ze had allang het adres van Herman opgezocht en in haar hoofd geprent, iets waar ze nu blij om was. Ver lopen was het niet, hooguit een kwartier. Ze besloot haar fiets te laten staan en te gaan wandelen. De frisse wind die buiten waaide was precies wat ze nu nodig had.
Een kleine twintig minuten later stond ze voor zijn voordeur. Herman bewoonde de eerste etage van een portiekwoning. In de veilige beslotenheid van het portiek haalde ze eerst een paar keer diep adem voor ze haar vinger op de bel drukte. Het duurde even voor er open werd gedaan. Misschien sliep hij nog, bedacht ze. Het was nog maar net half tien en hij moest vandaag de avonddienst in, dus de kans was groot dat hij uit wilde slapen. Hij was echter al volledig aangekleed op het moment dat hij de deur opende. Zijn mond viel open van verbazing.
"Paulien! Wat doe jij hier nou zo vroeg?"
"Ik heb je iets te zeggen." Zonder plichtplegingen liep ze langs hem heen naar binnen. In het nauwe halletje stak ze meteen van wal.
"Er is iets tussen ons," begon ze. "Dat kun je niet ontkennen. Blijkbaar ben jij niet aan een relatie toe of ben je met zoveel andere dingen bezig dat je hoofd er niet naar staat. Als jij daar nog

niet over wilt praten is dat prima, maar ik wil wel duidelijkheid over waar het met ons naar toe gaat. De signalen die jij naar mij afgeeft zijn zo verwarrend, daar kan ik helemaal niets mee. Ik wil niet aan een lijntje gehouden worden, Herman, ik wil weten..."
Ineens stokte ze. Midden in haar tirade pakte Herman haar vast en hij drukte zijn lippen zo stevig op die van haar dat ze geen woord meer uit kon brengen. Heel even stond ze doodstil, als verlamd, toen begon haar lichaam weer te reageren en sloeg ze als vanzelfsprekend haar armen om zijn hals. De kus was intens en duurde zo lang dat ze dacht dat ze erin verdronk. Duizelig van geluk klampte ze zich aan hem vast. Eindelijk.

HOOFDSTUK 5

Hermans mond bleef gulzig die van Paulien zoeken en zij gaf zich daar maar al te graag aan over. Haar knieën knikten en ze had het gevoel dat ze ieder moment om kon vallen, dus klampte ze zich aan hem vast. Na alle spanning was dit een heerlijke ontlading.

"Wat doe je toch met me?" zei Herman, na wat een eeuwigheid voelde, hees. "Dit heb ik nog nooit gevoeld."

"Ik ook niet. Ik heb nooit geloofd in liefde op het eerste gezicht, tot ik jou ontmoette," fluisterde Paulien. "Liefde moest groeien, dacht ik altijd. Inmiddels weet ik beter. Het is me als een kanonslag overvallen."

"O Paulien." Herman drukte haar nog steviger tegen zich aan, voor zover dat mogelijk was. "Dit is heerlijk. Maar..." Hij stokte en schudde zijn hoofd. Er verscheen een zorgelijke trek op zijn gezicht.

"Kun je het me echt niet vertellen?" vroeg Paulien zacht. "Zelfs nu niet? Ik hou van je, er is niet veel wat me af kan schrikken."

"Dit misschien wel." Zijn stem klonk bitter. "Ik weet niet eens hoe ik het onder woorden moet brengen."

Paulien trok haar gezicht iets terug en keek recht in zijn ogen.

"Als je zover bent, ben ik er voor je," zei ze eenvoudig. "Ik zal je niet onder druk zetten om er mee over de brug te komen zolang je daar nog niet aan toe bent."

"Dank je." Hij bracht haar hand naar zijn mond en drukte er een kus op. "Dat betekent veel voor me. Ik hoop dat het altijd zo zal blijven, ook als..." Weer stopte hij met praten.

"Altijd," bezwoer ze hem. "Ik weet dat we elkaar nog eigenlijk helemaal niet kennen, maar dat doet niets af aan mijn gevoelens voor jou. Die zijn echt en puur."
Ze lachten naar elkaar en Pauliens hart sprong blij op. Het kwam goed, wist ze. Misschien niet zo snel als ze hoopte, maar uiteindelijk zou alles in orde komen. Dat wist ze zeker. De aanwezigheid van Herman zo dicht bij haar maakte zo'n storm van gevoelens in haar los dat ze er bijna van schrok. Ze was echt wel vaker verliefd geweest in haar leven, maar dit was anders. Het ging veel dieper dan slechts een verliefdheid. Het was of ze al die tijd een stuk had gemist en ze nu met Herman samen pas echt compleet was.
"Kom, we gaan naar de kamer," zei Herman, die ontdekte dat ze nog steeds in zijn kleine halletje stonden. "Koffie?"
"Graag."
In de huiskamer keek Paulien verbaasd en bewonderend om zich heen. De ruime kamer was gezellig ingericht, heel anders dan je van een vrijgezelle man zou verwachten. De comfortabele, stoffen bank was bezaaid met kussens in allerlei kleuren en overal in de kamer stonden planten.
"Ik hou van planten," verklaarde Herman toen ze daar iets van zei. "Als ik geen verpleegkundige was geworden, was ik ongetwijfeld iets in die richting gaan doen. Nu is het mijn grootste hobby. Ooit wil ik een huis met een grote tuin, die ik dan helemaal zelf aan ga leggen."
"Je hebt dus groene vingers." Paulien lachte. "De mijne zijn blauw, vrees ik. Ik kan zelfs geen plastic planten goed houden."
"Plastic planten!" Zijn gezicht vertrok in afgrijzen. "Dat is het ergste wat ik me voor kan stellen. Ga zitten."

Hij maakte een handgebaar naar de bank en kwam zelf even later, voorzien van koffie, naast haar zitten. Paulien kroop dicht tegen hem aan. Ze had alle schroom verloren na die heftige kus in de gang. Het voelde ineens zo goed en vertrouwd tussen hen. Ze was zelfs vergeten wat ze allemaal had willen zeggen. Dat was nu ook niet meer belangrijk. Herman hield van haar, dat was haar wel duidelijk geworden. Meer hoefde ze, voor dit moment althans, niet te weten. Behaaglijk zocht ze een goede houding, tot ze met haar been op iets hards stootte. Even dacht ze dat het een viltstift was, maar het bleek een mascararoller te zijn. Bevreemd keek ze naar het voorwerp in haar handen. Een vrijgezelle man die een mascararoller in huis had? Dan was zij dus niet de enige vrouw die hier kwam, begreep ze meteen.
"Die is van mijn nichtje," zei Herman toen hij zag waar ze naar keek. "Mijn achternichtje, de dochter van mijn neef. Hij heeft twee dochters, die hier gistermiddag zijn geweest. De oudste zit volop in de make-up fase. Ze heeft mij zelfs opgemaakt." Hij lachte luid. Een beetje hysterisch zelfs, registreerde Paulien. "Ik hoop niet dat daar nog iets van te zien is."
Paulien haalde opgelucht adem. Heel even had het geleken of er een ijskoude hand op haar hart werd gelegd, dat gevoel trok nu gelukkig weer weg.
"Hoe oud zijn ze?" informeerde ze belangstellend.
"Elf en drie. Twee heerlijke meiden. Ik pas graag op ze als dat zo eens uitkomt."
"Leuk. Ik heb ook twee nichtjes, maar die wonen dus in Australië. Verder ken ik eigenlijk geen kinderen. Ik heb nooit veel met kinderen te maken gehad."

"Dat hoor je niet vaak. De meeste vrouwen zijn idolaat van kinderen en de meesten kunnen niet wachten tot ze zelf hun eigen baby in hun armen kunnen houden."
"Dan mis ik zeker een bepaald gen of zo," lachte Paulien. "Eigenlijk heb ik daar nog nooit serieus over nagedacht. Ik weet helemaal niet zo zeker of ik ooit moeder wil worden."
"Echt niet?" Hermans stem klonk vreemd gespannen bij deze vraag.
"Ik weet het niet. Dat is een vraagstuk waar ik me nog niet mee bezig heb gehouden. Voorlopig is dat ook nog helemaal niet aan de orde, dus ik breek mijn hoofd daar nog maar niet over. En jij? Heb jij wel aspiraties om vader te worden?" Ze keek hem vragend aan.
Hermans gezicht betrok. Hij haalde zijn hand van haar been af en draaide zijn gezicht de andere kant op.
"Dat is voor mij niet aan de orde," zei hij toonloos. Hij leek zelf van zijn eigen woorden te schrikken en veranderde snel van onderwerp. "Is de koffie goed zo? Niet te sterk? Ik kan er anders nog wat melk in doen voor je."
"De koffie is prima," zei Paulien werktuiglijk. Haar hersens werkten ondertussen op volle toeren. Herman was niet de enige die geschrokken was van zijn opmerking. Dus dat was het! Een heleboel puzzelstukjes vielen ineens op zijn plek voor haar. Herman was onvruchtbaar en daar worstelde hij mee. Waarschijnlijk had hij dat nog niet zo lang geleden te horen gekregen en zat hij nu nog midden in het verwerkingsproces. Het was niet denkbeeldig dat hij de gedachte had opgevat dat hij beter nooit meer een relatie kon beginnen, omdat hij nooit de eventuele kinderwens

van een vrouw kon vervullen. Tot zij plotseling op zijn weg verscheen en al die voornemens deed wankelen. Dat moest moeilijk voor hem zijn.
Ze legde haar hand op zijn knie en keek hem lief aan.
"Kinderen zijn niet het allerbelangrijkste in het leven. Bovendien zijn er meerdere manieren om ze te krijgen dan via de natuurlijke weg, als je dat zou willen. Pieker er niet over, schat."
Hij leek op te schrikken van haar woorden. Verward wreef hij in zijn ogen.
"Sommige dingen zijn moeilijk te accepteren," mompelde hij.
"Maar niets is onoverkomelijk." Troostend sloeg Paulien haar armen om hem heen. Ze legde haar wang tegen de zijne aan. "Je dacht toch niet werkelijk dat ik daarom op de vlucht zou slaan? Dan ken je me inderdaad nog niet zo goed."
Ze meende ieder woord uit de grond van haar hart, al moest ze toegeven dat ze best van slag af was door zijn mededeling. Al was ze tot nu toe nooit zo bezig geweest met de vraag of ze ooit moeder wilde worden, het had wel altijd tot de mogelijkheden behoord. Nu leek die weg plotseling afgesloten en dat gaf haar een vreemd gevoel. Verschil voor haar gevoelens maakte het echter niet. Ze hield van deze man, onvruchtbaar of niet. Er was niets ter wereld wat daar nog verandering in aan kon brengen.
In de weken die volgden op deze gedenkwaardige dag, ging ze juichend door het leven. Stralend gelukkig en helemaal opgaand in de liefde die haar zo plotseling ten deel was gevallen. Ze zag nergens meer een probleem in.
Loes zag het enigszins bedenkelijk aan. Dat zij als vriendin nu een stap terug moest doen vond ze jammer, maar logisch. Daar

maakte ze geen probleem van. Wat haar wel dwars zat, was het feit dat Paulien blijkbaar niet zag wat zij wel opmerkte. Herman was volgens haar niet half zo gelukkig als Paulien. Hij hield duidelijk heel veel van zijn vriendin, maar er zat hem nog steeds iets dwars. Loes zag dat aan de manier waarop hij naar Paulien keek en aan de wijze waarop zijn mond af toe vertrok. Hij voerde een strijd met zichzelf. Paulien kon honderd keer beweren dat hij moeite had met zijn onvruchtbaarheid, volgens Loes lag het probleem veel dieper. Zij twijfelde er eerlijk gezegd nog steeds aan of hij geen homo was, hoewel ze dat niet kon rijmen met de overduidelijke liefde die hij voor Paulien voelde. Die was niet gespeeld, maar echt, dat kon iedereen zien. Paulien was echter zo stralend gelukkig dat Loes het niet over haar hart kon verkrijgen om iets van haar vermoedens te laten merken. Dat deed ze pas op het moment dat Paulien er zelf over begon. Op een ochtend, tijdens hun koffiepauze, bekende Paulien haar dat ze niet helemaal wensloos gelukkig was.
"Wel bijna, hoor," voegde ze daar snel aan toe. "Voor achtennegentig procent. Maar ja, die twee die overblijven..."
"En waar ligt dat aan?" informeerde Loes.
"Herman piekert nog steeds ergens over en dat zit me dwars."
"Iets anders dan zijn onvruchtbaarheid?"
Paulien zuchtte. "Wist ik het maar. Het is niet zo dat hij voortdurend somber is of zo, maar ik merk het aan kleine dingen. Er is nog steeds iets wat hij me niet vertelt."
"Die indruk heb ik ook," durfde Loes nu te zeggen. "Hij kan zo broeierig voor zich uit kijken soms. Het enige advies wat ik je kan geven is dat je er rechtstreeks naar moet vragen en geen genoegen

moet nemen met een vaag antwoord. Jullie hebben een relatie, je hebt er recht op om te weten wat er speelt."
Paulien knikte. "Je hebt gelijk, maar ik heb hem beloofd hem niet te dwingen erover te praten zolang hij er niet aan toe is. Diep in mijn hart ben ik ook bang voor wat ik te horen ga krijgen als ik er rechtstreeks naar vraag."
"Ik denk dat het tijd wordt om te stoppen met die struisvogelpolitiek," zei Loes bedachtzaam. "Dat je beloofd hebt er niet naar te vragen, geeft hem geen vrijbrief om van alles achter te houden voor je. Je kunt geen jaren doorgaan op deze manier."
"Ik ga vandaag nog het gesprek met hem aan," nam Paulien zich voor.
Het kostte haar die middag moeite om haar aandacht bij haar werk te houden. In overleg met Loes nam ze een paar uur vrij, zodat ze Herman na afloop van zijn dagdienst van de kraamafdeling af kon halen. Nerveus betrad ze om drie uur die middag de bewuste afdeling. Ze zag Herman nergens.
"Ben je op zoek naar Herman?" vroeg Regina, het hoofd van de afdeling. "Hij is nog bezig bij een bevalling. Met een kwartiertje wordt hij afgelost. Ik ben net gebeld door iemand van de avondploeg, ze is wat later omdat ze vaststaat in het verkeer vanwege een botsing. Kom even zitten."
Uitnodigend hield ze de deur van de zusterpost open, waar op dit tijdstip, vlak na de overdracht, niemand aanwezig was. De dagploeg was net naar huis, de avondploeg had zijn werkzaamheden gestart. Paulien nam plaats aan de grote, ronde tafel. Regina kwam tegenover haar zitten.
"We hebben een goede aan Herman," zei ze. "Hij is een harde

werker met hart voor zijn patiënten."
"Ik proef een 'maar' ", zei Paulien voorzichtig.
Regina aarzelde voor ze verder sprak. "De laatste weken functioneert hij minder," zei ze toen. "Misschien moet ik dat niet met jou bespreken, maar als er soms iets aan de hand is waarmee ik kan helpen, laat het me dan weten. Ik mag Herman graag en ik..."
Ze werd onderbroken door Irene, die de deur open gooide. "Regina, kom snel! Er ligt een vrouw te bevallen in de gang!"
Regina haastte zich achter haar aan. Nieuwsgierig keek Paulien door het raam van de deur. Het was ineens een drukte van belang in de net nog zo stille gang. Diverse verpleegkundigen knielden bij een vrouw die op de grond lag, een man liep er handenwringend omheen. Om de hoek kwam iemand met een brancard aansnellen. Paulien ging zo in het tafereel op dat ze niet eens merkte dat Herman aan kwam lopen.
"Wat doe jij hier nou?" vroeg hij verbaasd.
Ze schrok op. "Ik heb een paar uur vrij genomen. Kijk nou, er ligt daar iemand te bevallen."
"Dat soort dingen maak je hier mee, ja." Herman knikte afwezig. "Ik ben blij dat je er bent. We moeten praten, Paulien. Er is iets wat ik je moet vertellen."
Paulien knikte opgelucht. Nu Herman blijkbaar zelf besloten had dat ze moest weten wat er aan de hand was, hoefde zij haar belofte aan hem niet te verbreken. Op slag was ze de barende vrouw in de gang vergeten. Enigszins angstig keek ze hem aan, vooral toen hij voorstelde om naar zijn huis te gaan.
"Wat ik je te vertellen heb, kan ik niet in een restaurant doen,"

voegde hij daar aan toe.
De angst sloeg haar om het hart bij het zien van zijn zorgelijke gezicht. Betekende dit gesprek het einde van hun geluk? Ze durfde niets meer te zeggen en liep stilletjes met hem mee naar de liften aan het eind van de gang.
"Het is een jongetje!" hoorde ze iemand roepen. Babygehuil klonk op, direct gevolgd door een juichkreet van de nieuwbakken vader. Ze hoorde het allemaal wel, maar registreerde het niet echt. Het meeste ging volledig langs haar heen.
Zwijgend stapte ze naast Herman in zijn wagen en eveneens zwijgend reden ze door de drukke stad. Halverwege kon Paulien zich echter niet langer inhouden.
"Hou je nog wel van me?" vroeg ze opeens. "Of wordt dit het beruchte gesprek waarin je gaat zeggen dat het niet aan mij ligt, maar aan jou en dat je er een eind aan wilt maken?"
Herman remde af voor een rood verkeerslicht, wat hem de gelegenheid gaf om haar aan te kijken.
"Ik hou zielsveel van je," zei hij ernstig. "Meer dan van mezelf. Of onze relatie standhoudt ligt helemaal in jouw handen. Ik weet niet of je mij nog wilt als je hoort wat ik te zeggen heb."
Paulien ademde opgelucht uit. Ze kon zich niet voorstellen dat iets zo erg was dat ze haar relatie met Herman er voor op zou willen geven. Wel werd ze steeds nieuwsgieriger naar wat hij te vertellen had. Dat het iets ernstig was, was wel duidelijk, maar wat? Zou hij soms gokverslaafd zijn? Enorme schulden hebben? Had hij een moord gepleegd? De gekste gedachten kwamen in haar hoofd op.
Het duurde niet lang meer voor ze eindelijk antwoord kreeg op

al haar vragen. Herman begon met praten zodra ze in zijn huis aangekomen waren, alsof hij bang was dat hij de moed niet meer op zou kunnen brengen als hij te lang wachtte.
"Er is iets waar ik al jaren mee worstel," begon hij. Hij keek haar niet aan, maar staarde naar een onbestemde plek op de muur tegenover hem. Zijn handen hield hij stevig in elkaar gevouwen. "Al vanaf dat ik een jaar of zestien was. Nooit heb ik het aan mezelf toe durven geven, maar op de achtergrond was het altijd aanwezig. Eerst sluimerend, maar allengs sterker, hoe zeer ik me er ook tegen verzette. Al die jaren heb ik getracht een zo normaal mogelijk leven te leiden. Voor de buitenwereld is er dan ook niets aan de hand, maar in mijn lijf stormt het. Het is een storm die ik niet langer kan negeren, Paulien. Een orkaan. Ik heb het echt geprobeerd, maar het lukt me niet meer. Mijn ware ik wil naar buiten komen. Moet naar buiten komen. Ik kan er niet langer aan ontkomen."
"Wat bedoel je nou precies?" vroeg Paulien paniekerig. Ze zat in elkaar gedoken naast hem, met een steeds bleker wordend gezicht. Langzaam begon ze te vermoeden waar hij naar toe wilde, maar dat durfde ze nog niet onder ogen te zien. Dat was te bizar. Zijn volgende woorden bevestigden haar angstige vermoedens echter. Hij stond op, ijsbeerde door de kamer heen en bleef uiteindelijk vlak voor haar stilstaan.
"Ik ben transseksueel," zei hij hard. "Uiterlijk ben ik een man en ik heb altijd mijn best gedaan om me ook zo te gedragen, maar ik kan mezelf niet langer verloochenen. Ik ben een vrouw, Paulien. Een vrouw."
Deze woorden knalden door de kamer heen, rechtstreeks haar

hoofd en haar hart in. Paulien hoorde ze, maar kon ze niet bevatten. Haar mond ging open en weer dicht zonder dat er geluid uit kwam. Ze had het gevoel dat ze in een draaikolk terecht gekomen was, de hele kamer leek te zweven en om haar heen te draaien. Herman was een vrouw, een transseksueel, iemand die in het verkeerde lichaam was geboren. Die gedachte boorde zich in haar hoofd. Ze wist wat het betekende, maar kon de strekking ervan niet overzien. Het enige wat ze op dat moment heel zeker wist was dat ze van hem hield. Zo ontzettend veel van hem hield dat ze alles kon verdragen als hij maar bij haar was. Zelfs dit.
Ze strekte haar handen naar hem uit en trok hem naast zich op de bank, waarna ze dicht tegen hem aankroop.
"Wat erg voor je," zei ze na lange tijd. "Wat zul je het moeilijk gehad hebben."
"Ik zit meer met wat ik jou aandoe," zei hij somber. "Dat is de reden waarom ik je in eerste instantie ontliep. Ik wilde geen relatie beginnen terwijl ik zo onzeker was over alles. Maar jij kwam, zag en overwon, daar kon ik geen weerstand aan bieden. Het spijt me dat ik je hier in mee trek, schat."
Paulien legde haar vinger op zijn lippen.
"Sst. Wat er ook staat te gebeuren in de toekomst, ik zal nooit spijt van onze relatie hebben. Nooit! Houd me vast, Herman."
Hij voldeed maar al te graag aan dit verzoek. Lange tijd bleven ze zo zitten. Beiden wisten ze dat er nog heel wat te bespreken was en dat hen heel veel problemen stonden te wachten, maar dat was iets voor later. Op dat moment wilden ze alleen maar dicht bij elkaar zijn. Voelen dat ze bij elkaar hoorden, ondanks alles.

HOOFDSTUK 6

Ze lieten die avond iets te eten bezorgen, maar de helft daarvan verdween uiteindelijk in de afvalbak. Allebei zaten ze te vol met andere dingen om behoorlijk te kunnen eten. Voor Paulien waren er een aantal puzzelstukjes op hun plek gevallen. Ze dacht een aannemelijke verklaring gevonden te hebben in het feit dat Herman onvruchtbaar was, maar dat gegeven had niet alles opgelost voor haar. Nu begreep ze zijn vrouwelijke trekjes, zijn haren die hij vrij lang droeg, het schrille, nerveuze lachje toen hij vertelde dat zijn nichtje hem had opgemaakt en het niet echt willen praten over de toekomst. En de seks. Ze durfde het niet hardop te zeggen, maar dacht het wel. Hun seksleven was niet slecht, maar wel heel anders dan ze met Frank gewend was. Herman was heel teder, bijna op het softe af. Hij richtte zich veel meer op strelen en knuffelen en niet zozeer op de daad zelf. Kwam dat omdat hij van binnen een vrouw was? Ze wist het niet zeker, want het kon ook een kwestie van karakter zijn. Er bestonden ongetwijfeld meer mannen die niet zo ruw waren in bed.

Veel praten deden ze in die eerste uren nog niet. Paulien was volkomen overdonderd door dit nieuws, ze moest het eerst voor zichzelf een beetje zien te verwerken. Herman begreep dat en liet haar met rust. Hij was blij en opgelucht dat het hoge woord er eindelijk uit was. Het was zo'n enorm heftige strijd geweest, jarenlang. Dat Paulien in zijn leven gekomen was op het moment dat hij het net voor zichzelf begon te accepteren, had de zaken er niet makkelijker op gemaakt. Zelfs zij wist niet hoe hij zich de afgelopen tijd gevoeld had. Eenmaal tot klaarheid gekomen durfde hij het haar niet te vertellen, puur uit angst om haar kwijt te raken. Vroegere relaties waren altijd zeer gecompliceerd verlopen, omdat hij nooit zichzelf had kunnen zijn. Met Paulien was hij voor het eerst in zijn leven echt gelukkig, op dat ene, zwarte randje na. Hij durfde dat geluk lange tijd niet op het spel te zetten door het vertellen van de waarheid. Het nog langer verzwijgen was echter geen optie meer geweest. Het moest eruit, ongeacht de gevolgen. Tot nu toe vielen die gevolgen hem honderd procent mee. Hij was er bijna van overtuigd geweest dat Paulien een punt achter hun relatie zou zetten, maar dat was ze niet van plan.

"Ik hou van jou," zei ze na een lange tijd waarin ze zwijgend voor zich uit had gestaard en haar hersenen als razenden hadden gewerkt. "Dat verandert hier niet door, al is het wel een schok. Jij bent nog steeds dezelfde Herman voor me."

"Straks niet meer," zei hij voorzichtig. "Dan verander ik in Hermien. Of Herma. Het vertellen was maar één onderdeel, de echte verandering komt nog. Straks zal ik een heel ander persoon worden, Paulien."

"Het zal wel vreemd zijn, ja. Maar in wezen blijf je natuurlijk hetzelfde, je karakter verandert hier niet door. Ik ben niet van je gaan houden vanwege je uiterlijk, Herman. Die verandering zal dan ook niet onoverkomelijk zijn, denk ik. Het zal wel wennen zijn om je in vrouwenkleding te zien. Heb je die eigenlijk?" Ze keek hem vragend aan.

"Nee, was zijn antwoord. "Ik durf pas sinds kort aan mezelf toe te geven wie ik echt ben. Dat proces heeft zoveel tijd, moeite en energie gekost."

"Daar kan ik me iets bij voorstellen. Mijn hoofd tolt nu al." Pau-

lien zuchtte diep. Er kwam zoveel op haar af, het was niet zomaar te overzien. Welke gevolgen had dit allemaal? Ze wist het niet. Het enige wat ze heel zeker wist was dat ze zo ontzettend veel van Herman hield dat ze zelfs deze weg met hem samen wilde bewandelen. Alles was beter dan hun relatie beëindigen.
"En nu?" vroeg ze zich hardop af.
"Ik weet het zelf nog niet goed. Ik moet de juridische stappen gaan onderzoeken die ik moet nemen, dokters bezoeken, noem maar op. Zover heb ik nog niet gedacht. De eerste stap was het aan mezelf toegeven, de tweede om het aan jou te vertellen. De rest is al die tijd van ondergeschikt belang geweest. Die eerste twee stappen zijn nu in ieder geval gezet, vanaf nu kan het alleen maar beter worden. Het voelt heel bevrijdend dat ik me niet langer hoef te verstoppen, dat ik eindelijk de persoon kan laten zien die ik van binnen ben. Ik kan je niet vertellen hoe blij, gelukkig en opgelucht ik ben door jouw reactie. Daar hing voor mijn gevoel alles van af."
Hij klemde Paulien tegen zich aan, maar zij maakte zich voorzichtig los uit zijn armen.
"Ho even. Wat bedoel je precies met juridische mogelijkheden? Je mag je toch zeker aankleden zoals je zelf wilt? Als jij als vrouw door het leven wilt gaan, een jurk aan wilt trekken en make-up op je gezicht wilt smeren, dan heb je daar toch van niemand toestemming voor nodig?"
Herman schudde zijn hoofd.
"Zo simpel ligt het niet. Jij verwart het met travestiet zijn. Dat zijn mannen die het leuk vinden om zich af en toe als vrouw uit te dossen. Bij mij ligt het anders. Ik ben geen travestiet, ik ben

een transseksueel," legde hij uit. "Alleen uiterlijk ben ik een man, maar niet van binnenuit. Van binnen ben ik vrouw. Ik ben geboren in een verkeerd lichaam. Het mannelijke gedrag wat ik vertoon is slechts aangeleerd, niet aangeboren. Mijn ouders hebben me opgevoed als jongetje, dus ben ik me ook zo gaan gedragen. Ik wilde graag aan hun verwachtingen voldoen, dus stopte ik al die verwarde gevoelens weg en gedroeg ik me zoals de buitenwereld me zag. Nu is dat voorbij. Nu ik aan mezelf en aan jou heb toegegeven wie ik echt ben, mag de hele wereld het weten. Ik wil me niet slechts als een vrouw gedragen, maar het ook echt zijn. Ook officieel. Ik wil me als vrouw laten registreren, me als vrouw voorstellen aan anderen, als vrouw leven."
"Maar dat betekent dan toch dat je vrouwenkleding gaat dragen?"
"Ja, maar niet slechts af en toe. Gewoon altijd, net als jij en iedere andere vrouw. Ik kan niet wachten tot het zover is. Nu het hoge woord er eindelijk uit is, wil ik het liefst alles zo snel mogelijk geregeld hebben. Er zijn al veel te veel jaren voorbij gegaan waarin ik een rol speelde. Moest spelen, voor mijn gevoel." Herman pakte haar hand vast en kneep er even in. "Voor jou moet dit echter wel heel rauw op je dak vallen. Ik ben er naar toe gegroeid, jij krijgt het zomaar even voor je voeten geworpen."
"Het duizelt me wel," bekende Paulien. "En eerlijk gezegd vind ik het moeilijk te begrijpen. Als jij een vrouw bent, houdt dat dan niet in dat je eigenlijk van mannen hoort te houden? Ik bedoel… Veel mensen denken dat jij homo bent. Dat zou ook logischer zijn in dit geval."
"Dan ben ik een lesbische transseksueel," zei Herman met een klein lachje. "Een vrouw die op vrouwen valt. Dat is wel het laat-

ste waar ik me druk om maak, schat. Ik hou van jou, dat is het belangrijkste en hoe dat dan heet maakt niet uit. Ik hou zo verschrikkelijk veel van je dat ik zelfs even heb gedacht dat ik wel gewoon een man was, dat ik normaal was. Jij hebt mijn acceptatieproces vertraagd. Ik stond bijna op het punt om naar buiten te treden toen jij in mijn leven verscheen en de hele boel weer overhoop gooide. Inmiddels ben ik zover dat ik weet dat het niet uitmaakt of jij een man of een vrouw bent. Ik hou van je persoonlijkheid."

Paulien kroop tegen hem aan. Dit klonk zo mooi dat de tranen van ontroering in haar ogen schoten. Zo'n overtuigende liefdesverklaring had ze nog nooit gehad. Het maakte alles ineens wat lichter en wat makkelijker te dragen. Het klonk ook zo simpel. Ze hielden van elkaar, de rest was van ondergeschikt belang.

"Denk je dat je het aankunt om mij in vrouwenkleding te zien?" wilde Herman weten. "Eerlijk zijn, Paulien. Ik wil niet dat je zomaar iets zegt om mij te ontlasten of omdat je denkt dat het een politiek correct antwoord is. We moeten volkomen eerlijk tegen elkaar zijn, ook als dat betekent dat je iets gaat zeggen wat de ander misschien niet wilt horen. Onthoud goed dat ik je nooit iets kwalijk zal nemen. Voor jou gaat dit ontzettend zwaar worden, daar ben ik me heel goed van bewust."

"Dat zal vast geen probleem zijn," zei Paulien vol overtuiging. Het maakte haar op dat moment niet eens iets uit. Zijn verplegersuniform, een net pak, een spijkerbroek, naakt of in een jurk met hooggehakte schoenen eronder. Herman was en bleef Herman. "Al zal het in het begin wel even vreemd zijn. Zal ik je helpen met het uitzoeken van kleding?"

Herman begon te stralen. "Graag! Ik durfde het je niet te vragen, maar ik zal best hulp nodig hebben op dat gebied. Ik heb geen idee wat me wel of niet zal staan."
"Aan topjes of te korte rokken zou ik niet beginnen," merkte ze verstandig op terwijl ze hem van top tot teen bekeek. "Tenslotte heb je het figuur van een man. Er is geen sprake van borsten of een taille."
"Dat zal niet lang meer duren. Ik ga zo snel mogelijk naar een dokter," nam Herman zich voor. "Door het slikken van hormonen zullen mijn borsten dan gaan groeien en zal er ook een taille gevormd worden. Maar goed, zover is het nog lang niet. Er is nog een heel lange weg te gaan, vrees ik. De procedure om van geslacht te veranderen wordt echt niet zomaar uitgevoerd, wat ook logisch is. Ik ga het stap voor stap bekijken, anders is het niet te overzien. De laatste stap zal ongetwijfeld ook de zwaarste zijn."
"En dat is?" vroeg Paulien naïef.
"De operatie natuurlijk. De laatste, definitieve stap."
Paulien schoot overeind, er verscheen een trek van afschuw op haar gezicht. Dit was iets waar ze helemaal niet bij stil had gestaan. Het leek wel of er steeds meer valkuilen op haar weg verschenen. Ze moest de grootste moeite doen om daar omheen te laveren en er niet in te vallen.
"Operatie? Een ingreep van man naar vrouw, bedoel je? Dat alles eraf gaat?" Ze maakte een vaag handgebaar in de richting van zijn kruis.
"Dat klinkt wel heel erg plastisch, maar dat is uiteindelijk wel de bedoeling, ja," knikte hij.
Ze kon een huivering niet onderdrukken. Dat ging wel heel erg

ver. Natuurlijk wist ze wat transseksualiteit betekende, maar nu ze er zo rechtstreeks mee werd geconfronteerd bleek het veel meer in te houden dan ze had gedacht. Ze had wel eens gehoord van geslachtsveranderende operaties, toch viel dit heel rauw op haar dak. Onbewust had ze blijkbaar toch gedacht dat het bij Herman niet zo ver ging. Dat het bleef bij het aantrekken van vrouwenkleding en dat er voor de rest niet veel zou veranderen. Dat bleek dus een enorme misrekening te zijn. Hier kwam veel meer bij kijken dan ze in eerste instantie had verondersteld.
Ze luisterde stil naar alles wat hij vertelde. Herman zag er gelukkig uit, constateerde ze. Voor hem was er een last van zijn schouders af gevallen. Het voelde echter wel alsof die last op haar hoofd terecht gekomen was. Ze was blij dat hij gelukkig was, maar de strekking van alles wat hij vertelde begon nu pas heel langzaam helemaal tot haar door te dringen. Als Herman een vrouw was, betekende dat dan dat zij, Paulien, lesbisch was? En als hij straks helemaal getransformeerd was, kon ze dan nog wel houden van de vrouw die hij dan zou worden? En hoe zou het daarna seksueel tussen hen gaan? Dat was iets waar ze zich geen voorstelling van kon maken. Ze was hetero, daar had ze nooit vraagtekens bij gezet. Vrijen met een vrouw was iets wat nog nooit, geen seconde, bij haar opgekomen was. Daar had ze nooit naar verlangd. Ze wist niet eens hoe ze dat aan moest pakken. Er kwam toch heel wat meer bij kijken dan ze in eerste instantie in haar naïviteit had aangenomen. Het verwarde haar bovenmatig. In plaats van haar vriend zou Herman dus straks haar vriendin worden. Bizar.
Er was maar één ding waar ze geen vraagtekens bij zette en dat

was haar liefde voor de man, of vrouw, die naast haar zat. Kijkend naar zijn glanzende ogen voelde ze zich warm worden van binnen. Nu ze wist waar hij al die tijd mee geworsteld had, voelde ze zich nog meer verbonden met hem. Hij hield genoeg van haar om dit met haar te willen delen, dat was niet niks. Zij was op haar beurt honderd procent bereid om het beste van deze vreemde situatie te maken. Het gevoel wat zijn lichaam tegen het hare gaf, oversteeg alle vragen en problemen. Zolang ze maar samen waren, was alles goed. Ongeacht in welke vorm dat was. Als man en vrouw of als vrouw en vrouw. Samen was het sleutelwoord.
Ze bleven nog heel lang zitten praten. Er was zoveel wat besproken moest worden, iedere keer kwamen er weer nieuwe vragen bij haar boven. Herman gaf overal zo goed mogelijk antwoord op, al gaf hij eerlijk toe dat hij het ook niet allemaal wist. Het enige waar hij zeker van was, was van zijn gevoelens, wat er voor de rest nog stond te gebeuren moest hij allemaal nog uitzoeken.
"Ik ben zo blij dat ik het verteld heb," zei hij een paar keer. "Jij bent fantastisch, Paulien. Iedere andere vrouw zou luid gillend op de vlucht zijn geslagen."
"Ik hou van je," zei ze simpel. "Niemand kan in de toekomst kijken, maar op dit moment ben ik er van overtuigd dat ik bij je wil blijven, hoe dan ook. De weg die jij te gaan hebt is een hele moeilijke, daar wil ik je graag in steunen."
"Dat is iets waar ik niet op durfde te hopen," zei hij emotioneel.
In de vroege ochtend, het aarzelende daglicht begon door de gordijnen heen te komen, maakte Paulien zich los uit zijn armen. Ze zaten nog steeds op de bank, van slapen was die nacht niets gekomen. Zelfs nu was ze nog niet moe, wel nog steeds verward. De

toekomstplannen die ze om zichzelf en Herman heen had geweven moesten worden bijgesteld, maar ze wist niet hoe en in welke mate. Het voelde alsof ze aan de rand van een afgrond stond en er onder haar alleen maar leegte was. Een inktzwarte leegte, waar niets in te onderscheiden viel. Ze wist dat ze de sprong in het diepe moest wagen, zonder te weten wat zich onder haar bevond. Haar verstand probeerde haar dan ook terug te laten krabbelen, maar haar gevoel dwong haar de rand over.
"Ik ga naar huis," zei ze. "Gelukkig is het zaterdag en hoef ik niet te werken. Ik denk niet dat er iets uit mijn handen zal komen vandaag."
"Ik breng je wel," bood Herman aan terwijl hij opstond. Hij probeerde niet om haar over te halen bij hem te blijven en daar was Paulien blij om. Ze moest even bij hem vandaan, want in zijn nabijheid kon ze niet helder denken.
"Laat maar," zei ze. "Ik heb er behoefte aan om een stukje te lopen, even mijn hoofd leeg laten waaien."
"Weet je dat zeker?" Hij schoof het gordijn iets opzij en keek naar buiten. "Het is nog niet eens helemaal licht buiten. Ik vind het niet zo'n prettig idee als je nu in je eentje rond gaat lopen dwalen."
"De nacht zit erop, de criminelen en verkrachters liggen nu in bed," zei ze met een grimas.
Herman leunde tegen de deurpost van de kamer en keek toe hoe zij in het halletje haar jas aantrok.
"Vanavond samen eten?" stelde hij voor.
"Dat weet ik nog niet. Ik bel je, oké?"
"Je hebt tijd nodig," begreep hij. Het klonk teleurgesteld, maar

Paulien knikte slechts. Hij had tenslotte zelf gezegd dat ze volkomen eerlijk tegen elkaar moesten zijn en op dat moment wist ze echt niet of ze die avond al in staat zou zijn om met hem over koetjes en kalfjes te praten en er een gezellige avond van te maken. Haar gedachten hielden zich met maar één ding bezig. Ze wilde niet voortdurend alleen maar over dit onderwerp praten, maar het was onmogelijk om het ergens anders over te hebben. Waarschijnlijk ging er nog wel wat tijd overheen voor ze dit als normaal kon beschouwen.

Even later liep ze door de koele ochtendlucht. Het was overal nog stil, de huizen waren donker. Slechts een enkele auto reed haar voorbij. Ze kon zich bijna verbeelden dat ze alleen op de wereld was. Zo, in haar eentje, kwamen er alweer tientallen vragen bij haar op. Het was gewoon te bizar, te veelomvattend. Ze kon het niet overzien.

Halverwege de weg naar haar huis veranderde ze van koers. Haar hoofd leek wel op ontploffen te staan. Ze moest er met iemand over praten. Iemand die goed kon luisteren en geen oordeel zou vellen. Loes dus. Zij was daar de aangewezen persoon voor. Wat een geluk dat ze zo'n goede vriendin had gevonden, dacht Paulien dankbaar. Die had ze nu heel hard nodig.

Zonder er bij na te denken dat het pas zes uur in de ochtend was, drukte ze even later bij Loes op haar bel. Het duurde een tijdje voordat ze open deed. Gekleed in haar ochtendjas en met haren die alle kanten op stonden, keek ze woest naar de persoon die haar gewekt had, maar bij het zien van Paulien en de uitdrukking op haar gezicht veranderde die kwade blik in een medelijdende. Snel trok ze haar naar binnen.

"Zo te zien is het gesprek met Herman nogal heftig verlopen. Kom binnen, lieverd, dan maak ik koffie voor je." Ze plantte Paulien in haar gezellige huiskamer op de bank en verdween zelf in haar keuken, om even later terug te keren met twee haastig klaar gemaakte koppen oploskoffie, waar de damp vanaf sloeg. "Vertel," eiste ze.
"Herman is een vrouw," zei Paulien zonder enige inleiding. Ze wist geen andere manier om met dit nieuws voor de dag te komen. "Lichamelijk niet, maar innerlijk wel. Het heeft heel lang geduurd voordat hij dat onder ogen durfde te zien, maar dat punt heeft hij nu bereikt. Hij wil zich officieel laten registreren als vrouw en ook de bijbehorende behandelingen ondergaan. Hij gaat all the way." Ze gooide het er in één keer uit, zonder enige merkbare emotie in haar stem. Het was of ze een artikel uit een tijdschrift voorlas.
De mond van Loes zakte open bij dit summier vertelde verhaal. Ze had veel verwacht, maar dit was geen seconde in haar hoofd opgekomen. Herman was een vrouw? Het klonk absurd. Ze had vaak over dit onderwerp gelezen en wist hoe diep ongelukkig transseksuelen zich voelden in hun verkeerde lichaam, anders zou ze er hard om gelachen hebben.
"Sorry hoor, ik moet even mijn kin van de grond oprapen," zei ze onparlementair. "Niet te geloven! Wat erg voor hem. En voor jou natuurlijk. Ach schat, net nu je zo gelukkig was omdat je een goede relatie had gevonden. Het zal niet makkelijk zijn om hier overheen te komen, ik weet hoe dol je op hem bent."
Paulien keek haar verbaasd aan. "Ik blijf gewoon bij hem, hoor. Dat is niet eens een punt van discussie."

"Bij hem? Bij haar dan toch?" Zoals gewoonlijk nam Loes geen blad voor haar mond. "Vergis je hier niet in, Paulien. Dit wordt een verandering die je niet van tevoren in kunt schatten. Herman zal niet alleen lichamelijk veranderen in een vrouw, maar ook geestelijk. Om even een simpel voorbeeld te geven, straks zal jij de deuren open moeten houden voor hem in plaats van andersom."
"Die opmerking slaat nergens op," zei Paulien nijdig.
"Ik kon zo snel geen ander voorbeeld verzinnen, maar het geeft de kern van het probleem wel weer. Nu is hij een man, met bijbehorend gedrag. Weliswaar een man met vrouwelijke trekjes, maar toch een man. Straks niet meer, realiseer je dat wel goed. Straks zitten jullie samen make-uptips uit te wisselen en elkaars kleren te passen. Dat is heel leuk in een vriendschap, maar is het ook wat je verlangt in een relatie?"
"Ik weet het niet," gaf Paulien kleintjes toe. Ze leek in elkaar te zakken als een leeggelopen ballon. "Ik weet alleen dat ik van hem hou en hem niet kwijt wil."
Hier had Loes geen weerwoord op. Zwijgend ging ze naast Paulien zitten en met een troostend gebaar sloeg ze een arm om haar schouder. Haar slaap was in ieder geval meteen verdwenen.

HOOFDSTUK 7

Hun levens kwamen ineens in een stroomversnelling terecht. Vooral Paulien voelde zich vaak alsof ze in een achtbaan was beland. Zo eentje die razendsnel voortjoeg en een paar keer over de kop ging, zonder dat je hem kon stoppen. Er kwam zoveel op haar af. In tegenstelling tot Herman had zich hier niet op voor kunnen bereiden. Ze werd plotseling in het diepe gegooid en moest maar zien hoe ze haar hoofd boven water hield. Soms voelde het alsof dat niet lukte en ze op het punt stond te verdrinken. Dan was daar steeds Herman die haar de helpende hand toestak en haar boven het water uit hielp. Bij hem kon ze terecht met haar vragen en haar onzekerheden, net zoals hij bij haar aan kon kloppen als het hem teveel dreigde te worden. De verleiding was groot om alles gewoon bij het oude te laten en niet de hele medische en juridische molen in te gaan, maar dat kon hij niet. Hij had zichzelf al te lang verloochend. Het zou echter prettig zijn als er geen kilometers lange weg afgelegd hoefde te worden om zijn uiteindelijke doel te bereiken. Nu hij het eindelijk toegeven had, kon het hem niet snel genoeg gaan. Zo simpel lag het echter niet. Hij kreeg te horen dat hij eerst een tijd als vrouw moest leven en zich als vrouw naar de buitenwereld toe moest profileren voordat de daadwerkelijke behandeling kon beginnen en de juridische aspecten in gang konden worden gezet. Ze hadden allebei een week vrij genomen voor de noodzakelijke bezoeken aan de dokter, een advocaat en een psycholoog en aan het eind van die week duizelde het hen allebei, zoveel informatie hadden ze in korte tijd te horen gekregen. Paulien was bij ieder bezoek met hem meegegaan. Ze begreep nu pas

echt wat het allemaal inhield. Het dreigde haar te overspoelen, maar ze had zich voorgenomen Herman in dit proces te steunen en daar hield ze zich aan. Zelfs aan Loes durfde ze niet toe te geven hoeveel moeite haar dat af en toe kostte.
"Dit is zo veel omvattend en gaat zoveel energie kosten, ik stop met mijn werk in het ziekenhuis," besloot Herman. "Dat kan ik er gewoon niet meer bij hebben. Ik ben op dit moment niet in staat om mijn volledige aandacht bij mijn werkzaamheden te houden."
"Je zult anders wel moeten leven. Je hypotheek betaalt zichzelf niet," merkte Paulien verstandig op.
"Dat komt wel goed. Ik heb wat spaargeld waar ik het wel een tijdje mee uit kan zingen en ik ga er een parttime baan bij zoeken voor de vastigheid. Een kantoorbaan of zo kan ik wel aan, op de kraamafdeling werk ik echter met mensen. Daar kan ik me geen enkele fout veroorloven," legde hij uit. "Stel je voor dat ik iemand verkeerde medicijnen geef omdat ik mijn gedachten er niet goed bij heb. Dat zou ik mezelf nooit vergeven."
Voortvarend als hij plotseling was sinds hij zijn geheim had opgebiecht, vroeg hij meteen een gesprek aan met de personeelsfunctionaris. Omdat hij nog veel vakantiedagen had staan en er op dat moment genoeg personeel was, ging zijn ontslag met onmiddellijke ingang in. Hij keerde na die week vakantie dan ook niet meer terug in het ziekenhuis. Paulien wel, zij het met lood in haar schoenen. Ze vreesde de reacties van collega's en wist niet goed hoe ze daar op zou moeten reageren. In haar binnenste was het één grote warboel.
Ze ontdekte echter al meteen dat niemand in het ziekenhuis de ware reden van Hermans ontslag wist. Op weg naar haar kan-

toortje liep ze Regina tegen het lijf, die haar staande hield.
"Ik hoor net dat Herman niet meer terug komt," viel ze met de deur in huis. "Hij is vrijdag afscheid komen nemen, maar toen was ik vrij. Waar slaat dit op? Waarom doet hij dit?"
"Heeft hij dat dan niet gezegd?" vroeg Paulien onzeker.
Regina schudde haar hoofd. "Niet dat ik weet. Ik krijg net van personeelszaken door dat hij met onmiddellijk ingang ontslag heeft genomen, een reden is daar niet bij vermeld. Dit vind ik niks voor Herman, hij is altijd zo plichtsgetrouw. Zijn er problemen?" Ze keek Paulien vorsend aan, maar die ontweek haar blik.
"Er is wat aan de hand binnen zijn familie," zei ze, het eerste wat in haar opkwam. "Hij heeft nu nogal veel aan zijn hoofd en is bang dat hij daardoor fouten in zijn werk gaat maken."
"Hm, dat klinkt wel als Herman, ja. Tussen jullie nog wel alles goed?"
Paulien knikte slechts. "Sorry, ik moet aan het werk," verontschuldigde ze zich daarna.
"Doe hem de groeten van me en wens hem sterkte," riep Regina haar nog na.
Paulien vluchtte bijna haar kantoortje in, waar Loes al achter haar computer zat.
"Heb je spoken gezien?" informeerde ze. "Je ziet er zo verwilderd uit."
"Ik kwam Regina tegen, van de kraamafdeling. Ze vroeg naar Herman."
"Ze schrok zeker ook wel toen je haar vertelde wat er aan de hand is?" nam Loes aan.
"Ik heb het niet gezegd." Paulien trok haar jas uit, gooide haar tas

op de grond en ging zitten. "Niemand hier schijnt de ware reden te weten."
"En dat wil jij blijkbaar zo houden,' begreep Loes meteen.
"Je weet hoe mensen zijn," sprak Paulien verontschuldigend. "De meesten zullen het niet begrijpen en er of grapjes over maken of hem veroordelen. Ik denk niet dat ik daar tegen kan."
Loes beet nadenkend op haar onderlip. "Weet je heel zeker dat je het niet verzwijgt omdat je je voor hem schaamt?" vroeg ze toen rechtstreeks, zoals haar gewoonte was.
Paulien kon niet verhinderen dat haar wangen vuurrood kleurden. Loes zag het, al draaide ze snel haar gezicht af.
"Ik ga maar eens beginnen, het is druk," ontweek ze een antwoord.
"Ja dus," ging Loes echter onverstoorbaar verder. Zij liet zich niet zo makkelijk met een kluitje in het riet sturen. "En blijkbaar voel je je daar schuldig om. Maar dat hoeft niet, Paulien. Het lijkt me volkomen logisch dat je dit soort dingen niet van de daken wilt schreeuwen. Je hebt nog amper de kans en de tijd gehad om het zelf te verwerken. Val jezelf nou niet te hard omdat je de buitenwereld niet meteen open tegemoet kunt treden met dit probleem."
"Het voelt alsof ik hem verloochen," mompelde Paulien.
"Nergens voor nodig," meende Loes resoluut. "Laten we even wel wezen, het is Hermans taak om de mensen in te lichten, niet de jouwe. Ik weet niet of hij het bewust verzwegen heeft of niet, maar het is in ieder geval niet aan jou om iedereen te vertellen wat er speelt. Je hoeft jezelf niets te verwijten."
"Dank je wel," zei Paulien dankbaar.
Loes was een vriendin uit duizenden, dacht ze bij zichzelf. Ze

stond altijd voor haar klaar en steunde haar waar ze kon, zonder een blad voor haar mond te nemen en zonder mee te jammeren of haar te beklagen. Ze had een nuchter oordeel, kon goed relativeren en wist haar steeds weer een hart onder de riem te steken. Zonder Loes was het waarschijnlijk allemaal nog veel erger geweest voor haar. Paulien zuchtte diep. En het was toch al moeilijk genoeg. Moeilijker dan ze had ingeschat, daar was ze nu al achter. Ondanks haar liefde voor Herman had ze er tegenover Regina inderdaad niet voor uit durven komen wat aan de hand was en dat was niet alleen uit angst voor haar reactie. Ze schaamde zich er simpelweg voor. Als zijn vriendin zou ze hem onvoorwaardelijk moeten steunen. Niet alleen privé, maar ook naar de buitenwereld toe. Ze had net ontdekt dat ze daar niet toe in staat was en dat was geen prettige constatering.

Een paar uur later ontving ze een sms van Irene.

'Nieuwe dvd's, vanavond meidenavond?' las ze hardop voor. Ze keek vragend naar Loes. "Wat vind jij?"

"Heb je daar nu zin in?" informeerde die. "Ik kan me voorstellen dat je je aandacht niet echt bij een film kunt houden met alles wat er in je hoofd omgaat momenteel."

"Misschien wel even goed, een beetje afleiding," overwoog Paulien. En een avondje niet bij Herman, dacht ze daar stiekem achteraan. Hun gesprekken draaiden nog maar om één onderwerp, terwijl ze langzamerhand het gevoel had dat daar wel alles over gezegd was. Ze werd er doodmoe van, ze draaiden constant in hetzelfde kringetje rond. Het zou prettig zijn om een paar uur in een hele andere sfeer door te brengen. Oeverloos kletsen, lekkere hapjes eten, een wijntje drinken en een leuke film bekijken. Na de

afgelopen week klonk dat als muziek in haar oren.
"We gaan," zei ze resoluut. "Tenminste, als jij ook wilt en kunt?"
"Altijd goed," knikte Loes. "Niks beters op een saaie maandag-avond dan het gezelschap van vriendinnen. Hoe zit het trouwens met Irene en Victoria? Heb je het ze verteld? Ik heb in ieder geval niets gezegd tegen ze."
"Ik ook niet. Weer een complicatie erbij." Paulien zuchtte. "Wat moet ik daar nou mee? Als ik het hun vertel, weet straks het hele ziekenhuis het. Maar ik kan het ook niet maken om mijn mond te houden over zoiets belangrijks. Ze zullen ongetwijfeld vragen waarom Herman ontslag heeft genomen, ik kan ze toch moeilijk voorliegen. Dat wil ik ook niet. Ze komen er trouwens toch wel een keer achter. Bah. Anders stuur ik wel een berichtje terug dat ik vanavond niet kan."
"Dat is de makkelijkste weg. Struisvogelpolitiek heet dat. Je zult de confrontatie toch een keer aan moeten gaan," merkte Loes op.
"Je zei net zelf dat het niet mijn taak is om de mensen om ons heen in te lichten."
"Dit zijn je vriendinnen, dat ligt anders. Je hebt het mij toch ook verteld?" weerlegde Loes logisch. "Als je het niet bij vriendinnen kwijt kunt, dan kan het nergens. Als ze vervelend reageren, weet je meteen waar je aan toe bent."
"Maar het zijn ook collega's van Herman. Ex-collega's," verbeterde Paulien zichzelf. "Als zij het weten, weet straks iedereen het hier. Misschien wil hij dat niet."
"Hij kan toch moeilijk van je verlangen dat jij toneel gaat spelen of dat je je eigen vriendinnen niet meer ziet vanwege deze reden. Het is de bedoeling dat hij zich als vrouw gaat profileren

naar de buitenwereld. Dus niet alleen naar mensen die hem nu nog niet kennen, maar ook naar mensen waar hij tot nu toe mee omgegaan is. Juist naar bekenden. Als hij er niet aan toe is dat de mensen hier in het ziekenhuis weten wat er speelt, dan staat hij er zelf niet voor honderd procent achter, volgens mij," zei Loes bedachtzaam.
"Ik ga hem bellen," besloot Paulien. "Je hebt gelijk, maar ik wil niet achter zijn rug om zijn situatie de wereld in slingeren. Hij heeft er recht op om dat op zijn eigen manier te doen, zonder dat er al aan alle kanten roddels over hem losbarsten."
"Jij bent de beste vriendin die hij zich kan wensen. Ik hoop dat hij dat op waarde weet te schatten," zei Loes nog voordat Paulien haar telefoon pakte.
"Hij zegt in ieder geval van wel," zei Paulien met een klein lachje en de telefoon aan haar oor. "Hoi lieverd, met mij. Luister, ik zit met een klein probleempje." Ze vertelde hem wat haar dwars zat.
"Gewoon vertellen," antwoordde Herman meteen. "Daar heb ik echt geen problemen mee. Hoe eerder iedereen het weet, hoe liever het me is. Nu ik eenmaal zover ben, wil ik me niet meer verstoppen."
"Als je er zo over denkt, had ik liever gehad dat je de mensen hier zelf had ingelicht," kon Paulien niet nalaten te zeggen. "Ik krijg nu het gevoel dat ik ermee opgescheept wordt."
"Ik heb het tegen de personeelsfunctionaris gezegd," verklaarde Herman. "Daarna ben ik naar de afdeling gegaan om afscheid te nemen, maar iedereen was druk aan het werk en er was niet echt tijd voor een uitgebreid gesprek. Zoiets gooi je er niet even tussen neus en lippen door uit."

"Bel dan op zijn minst even naar Regina om het uit te leggen," adviseerde ze. "Ze vroeg naar je, ik heb er omheen gedraaid en gezegd dat je problemen binnen je familie hebt. Het is erg vervelend als ze het morgen van Irene of Victoria hoort. Personeelszaken heeft haar in ieder geval niet ingelicht."
"Doe ik," beloofde Herman. "Je bent er vanavond dus niet, begrijp ik. Zullen we morgenavond naar mijn ouders toegaan? Die wil ik het nu wel snel vertellen voor ze het op een andere manier horen. Ze hebben een computer en internet. Ook al doen ze niet aan Facebook of Twitter, de kans is niet denkbeeldig dat het via internet wereldkundig wordt gemaakt door deze of gene. Dat wil ik ze graag besparen."
"Is dat haalbaar, op één avond heen en weer?"
"Het zal niet vroeg zijn voor we terug komen, maar tot het weekend duurt me te lang. Zaterdag wil ik trouwens graag de stad in met je, om mijn garderobe aan te schaffen."
"Doen we. Zaterdag winkelen," zei Paulien tegen Loes zodra ze de verbinding had verbroken. "Dat wordt een hele nieuwe ervaring voor me, winkelen met een man. Frank moest daar nooit iets van weten."
"Je gaat niet shoppen met een man, maar met een vrouw," verbeterde Loes haar. "Je blijft hardnekkig 'hij' en 'Herman' zeggen, maar je zult er toch aan moeten wennen dat die situatie veranderd is."
"Met Hermien dan." Paulien trok een grimas. "Waarschijnlijk gaat me dat makkelijker af als hij jurken draagt. Nu is hij toch echt nog gewoon Herman voor me. Enfin, zaterdag wordt dus de dag van de grote transformatie. Dan heb ik ineens een vriendin

in plaats van een vriend."
Ze togen weer aan het werk, maar werden een uur later opnieuw gestoord. Dit keer door Regina, die het kantoortje binnen kwam.
"Ik heb net Herman gesproken," viel ze met de deur in huis. "Wat een toestand, zeg. Hoe is het nu met jou? Trek je het een beetje allemaal?"
"Ik heb weinig keus, vrees ik," antwoordde Paulien. "Behalve dan onze relatie beëindigen en dat is het laatste wat ik wil."
"Het zal niet makkelijk zijn. Niet voor Herman, maar zeker ook niet voor jou," begreep Regina. "Als ik iets voor jullie kan doen, laat het me dan weten. Ik begrijp nu wel waarom Herman ontslag heeft genomen. Werk als het onze kun je niet doen als er zoveel in je privéleven speelt."
"Dat is exact wat hij zelf ook zei," knikte Paulien.
"Sterkte," wenste Regina nog voor ze terug ging naar haar eigen afdeling. "Ik waardeer het wel dat hij me gebeld heeft om dit te vertellen."
"Weer een confrontatie achter de rug," zuchtte Paulien. "Ik ben bang dat ik nog heel wat commentaar ga krijgen de komende dagen. Dit gaat natuurlijk als een lopend vuurtje rond en iedereen weet dat wij een relatie hebben."
"Dat duurt hooguit een week, dan hebben ze weer iets anders om over te roddelen," meende Loes laconiek.
Dat kon Paulien alleen maar hopen. Zelf zou ze heel wat langer nodig hebben dan een week om aan het idee gewend te raken, vreesde ze. Wat dat betrof had Herman gelijk; hoe eerder iedereen het wist, hoe beter het was. Als het eenmaal geen hot nieuws meer was, werd haar leven misschien weer wat normaler. Nu was

ze alleen maar bezig met praten over Herman en zijn transseksualiteit. Die avond moest ze er weer aan geloven. Irene had nog gemeld dat ze Loes en Paulien vroeg verwachtte. Ze had pizza's gehaald als avondmaaltijd, zodat ze geen tijd hoefden te verdoen aan eerst thuis eten en ze minstens twee films konden bekijken die avond. Paulien vroeg zich af of het wel van films kijken zou komen. Haar nieuws zou waarschijnlijk als een bom binnen vallen bij haar vriendinnen. Ze bereidde zich er in ieder geval maar op voor dat ze de nodige vragen zou krijgen.
Na hun werk togen ze meteen richting Irene. Het regende en het was koud, maar bij Irene binnen was het behaaglijk warm. De eerste pizza stond al in de oven, de wijn stond koud en Irene had bij voorbaat al wat schaaltjes chips neer gezet.
"Kom gauw binnen," noodde ze. "Meteen een wijntje of eerst koffie?"
"Eerst koffie," antwoordden Loes en Paulien tegelijkertijd. Het tempo waarmee Irene wijn achterover sloeg konden ze nooit bijhouden.
"Victoria is er nog niet, maar ze zal zo wel komen. Wat is er trouwens met Herman aan de hand?" vroeg Irene nieuwsgierig. "Zijn ontslagaanvraag was vandaag het nieuws van de dag op de afdeling. Het schijnt dat hij vrijdag afscheid is komen nemen, maar toen was ik er niet. Hij is toch niet ziek of zo?"
"Ik vertel het zo wel, als Victoria er ook bij is," zei Paulien.
"Er is dus wel degelijks iets ernstigs aan de hand," begreep Irene. "Je maakt me nieuwsgierig."
"Daar heb je Paulien helemaal niet voor nodig, dat ben je van nature al," plaagde Loes haar. "Nou, waar blijft die koffie?"

"Je kunt toch wel vast een tipje van de sluier oplichten?" dramde Irene door terwijl ze de koffie inschonk. "Het is onmenselijk om iemand zo lang in onzekerheid te houden."
"Stel je niet zo aan. Daar is Victoria al, je wordt dus snel uit je lijden verlost," spotte Loes goedmoedig.
Irene haastte zich naar de deur om open te doen en Loes kneep even in Pauliens hand.
"Gaat het nog? Zal ik het anders vertellen?" bood ze aan.
"Lief van je, maar nee, laat maar. Ik vrees dat ik dit nieuws de komende tijd nog heel vaak zal moeten vertellen, dus ik kan er maar beter aan wennen," antwoordde Paulien.
"Nou, voor de dag ermee," eiste Irene.
Paulien haalde diep adem en gooide het er maar in één keer uit. Een omzichtige manier om dit te brengen was er toch niet.
"Herman is transseksueel, oftewel hij is geboren in een verkeerd lichaam. Hij voelt zich vrouw en heeft nu besloten voortaan ook zo door het leven te gaan."
Ze zag de mond van Victoria open zakken in verbazing. Irene daarentegen knikte langzaam.
"Dus toch. Ik had al zo mijn vermoedens," zei ze. "Hij is zo vrouwelijk. Sommige gebaartjes van hem, de manier waarop hij kan praten, alles eigenlijk. Wat een enorme belasting voor jullie. Hoe voel jij je nu?"
"Alsof ik in een hele snelle zweefmolen zit en ik de stopknop niet kan vinden."
"Daar kan ik me iets bij voorstellen. En jullie samen? Hoe gaat dat?"
"We blijven bij elkaar," zei Paulien resoluut. Alsof ze zichzelf

daarvan moest overtuigen, kon Loes niet nalaten te denken. Zij vond het erg ver gaan dat Paulien daar zelfs geen twijfels over leek te hebben. Volgens haar moesten die er wel degelijk zijn, maar stopte Paulien die zo ver weg dat ze nergens meer te vinden waren. Maar het kon bijna niet anders of ze kwamen toch een keer tevoorschijn.
"Maar jij bent toch niet lesbisch?" kwam Victoria nu. "Ik bedoel… Als hij vrouw is. Gadver, het idee alleen al."
"Herman zelf verandert hier niet door, hij blijft dezelfde persoon," legde Paulien, voor haar gevoel voor de zoveelste keer, uit. "Ik hou van hem, ik laat hem niet alleen in dit proces."
"Nou, ik had hem gedumpt," zei Victoria hard. "Kom op, zeg, dit is toch niet normaal?" Ze lachte spottend. "Dan kan hij voortaan meedoen met onze meidenavonden. Nou, in dat geval pas ik. Met zo'n freak hoef ik niet om te gaan."
"Noem jij jezelf een verpleegkundige?" Loes trok haar wenkbrauwen hoog op. Ondertussen legde ze bemoedigend een hand op Pauliens arm. Haar vriendin was behoorlijk aangeslagen door Victoria's reactie, zag ze. "Jij hoort toch te weten wat genderdysforie inhoudt."
"Ik weet ook wat AIDS is, moet ik daarom bevriend raken met patiënten die dat hebben? Ik vind dit hele verhaal meer dan belachelijk. Een man is een man en een vrouw is een vrouw, punt. Dat gezeik van verkeerde lichamen slaat nergens op. En dan ook nog een relatie hebben met een vrouw. Dan zal het dus wel meevallen allemaal. Als hij echt een vrouw zou zijn, had hij wel een man gezocht als levenspartner. Jij bent gek dat je je hierin mee laat slepen," wendde ze zich tot Paulien. "Ik zeg dumpen die handel."

“Dan is het maar goed dat ik jouw mening niet vraag,” zei Paulien strak. Ze stond op. “Sorry Ireen, maar ik sla vanavond over.”
“Maar de pizza is klaar,” merkte Irene onlogisch op.
“Die mag Victoria hebben,” zei Loes sarcastisch. “Als jij weggaat, ga ik mee, Paulien.”
“Wat een overdreven gedoe,” mopperde Victoria. “Ik mag toch een eigen mening hebben? Ik vind dit smerig en zwaar overtrokken. Hij moet niet zo achterlijk doen en gewoon een goede psycholoog bezoeken.”
“Daar is hij geweest en die man heeft groen licht gegeven voor de behandeling,” zei Paulien koeltjes. “Deze aandoening, als je het zo wilt noemen, bestaat namelijk echt, al zijn sommige mensen blijkbaar te dom om dat te begrijpen.”
“Verspil er maar geen woorden meer aan,” zei Loes. Ze zag nog net dat Victoria met een veelbetekenend gebaar tegen haar voorhoofd tikte en was blij dat Paulien dat niet had opgemerkt. Aan ruzie had ze geen behoefte.
Even later sloeg de voordeur achter hen in het slot. Ze lieten een verongelijkte Victoria en een verbijsterde Irene achter.

HOOFDSTUK 8

Paulien huiverde in de frisse avondlucht.
"Tot zover dus een leuke vriendschap," zei ze bitter.
"Trek het je niet aan." Loes sloeg troostend een arm om haar heen. "Ze weet niet beter, moet je maar denken. In ieder geval weet je wel meteen waar je aan toe bent met haar."
"Zo leer je je vrienden kennen, ja," knikte Paulien. "Stom, maar ik heb dit helemaal niet aan zien komen. Tot nu toe had ik alleen maar positieve en meelevende reacties gekregen. Ik denk dat ik er maar beter aan kan gaan wennen dat veel mensen er anders over denken. Sommige daarvan zullen het ronduit zeggen, zoals Victoria, anderen zullen hun mond houden, maar het wel denken. Dan heb ik toch liever de reactie van Victoria, hoe rauw het ook op mijn dak viel. Weet je, je kunt je hier niet tegen verweren."
"Dat is ook helemaal niet nodig," meende Loes beslist. "Het is zoals het is en wie daar niet mee om kan gaan, doet dat dan maar niet. Je hoeft je niet te verdedigen en je hoeft niets uit te leggen."
"Het zou fijn zijn als de mensen om ons heen er begrip voor op zouden brengen en Herman zouden steunen in dit proces."
"Ik denk dat je die illusie beter meteen kunt laten varen. De meeste mensen steken zo niet in elkaar. Genderdysforie is vreemd, dus bedreigend. In plaats van zich er in te verdiepen, vellen de meeste mensen liever een oordeel. Dat is veiliger. Dan kunnen ze het ver van zich afschuiven en kunnen ze net doen of het niet echt bestaat."
"Gelukkig heb ik jou als vriendin," zei Paulien dankbaar. "Jij bent je gewicht in goud waard, Loes."

"Ja, ja." Loes wuifde die woorden snel weg. "Over gewicht gesproken; als ik niet snel iets te eten krijg, blijft er nog maar weinig van me over. Daar zit een snackbar, kom mee."
Even later zaten ze achter een broodje hamburger en een portie patat. Paulien merkte nu pas dat ze honger had en ze liet het zich goed smaken.
"Zo, en nu gaan we lekker naar de bioscoop," zei Loes, haar mond na de maaltijd afvegend met een servet. "Dan zien we toch nog een leuke film vanavond."
Ze trok Paulien zonder plichtplegingen met zich mee, zodat die al snel haar zwakke protesten liet varen. Eenmaal in de donkere filmzaal was ze blij dat ze meegegaan was. De komedie die op het witte doek vertoond werd liet haar af en toe hardop schateren van het lachen en dat deed haar de nare ervaring met Victoria voor even vergeten.
Al met al was het een leuke avond geweest, ondanks het tegenvallende begin, constateerde ze die avond laat in bed. Tegen vervelende reacties moest ze zich zien te wapenen, want die zou ze ongetwijfeld nog veel meer te horen krijgen.
Die laatste gedachte werd de volgende ochtend al bewezen. Zodra ze het ziekenhuis betrad merkte ze dat de tamtam zijn werk al gedaan had. De beveiliger aan de balie, altijd in voor een vrolijke lach en een praatje, deed net of hij haar niet zag binnen komen. Plotseling vroeg iets op de balie zijn aandacht, zodat hij daar zijn ogen op richtte zodra ze de hal betrad. Twee laborantes die Paulien kende van haar lunchpauzes, stonden te fluisteren en te giechelen, zonder ook maar te proberen te verdoezelen dat ze het over haar hadden. Op weg naar haar kantoortje kwam ze een

verpleger tegen die nieuwsgierig informeerde of ze nu weer beschikbaar was.
"Want dan wil ik je graag mee uit vragen," voegde hij daar aan toe. "Bij mij hoef je je geen zorgen te maken, ik ben een echte man."
"En het is nog niet eens negen uur," verzuchtte ze tegen Loes, die al aanwezig was. "Ik durf niet eens te denken aan de rest van de reacties die ik nog ga krijgen."
"Hier moet je even doorheen, ja. Zulk nieuws verspreidt zich als een lopend vuurtje door het gebouw heen. Zelfs mensen die Herman helemaal niet kennen zullen er ongetwijfeld iets over te zeggen hebben," wist Loes. "Maar zoals het altijd gaat met opwindende nieuwtjes, zal het volgende week wel weer ingehaald zijn door de volgende pikante roddel."
"Dan hoop ik dat deze week snel voorbij is," zei Paulien somber terwijl ze haar tas wegzette en haar computer opstartte. "Als iedereen het maar eenmaal weet en ik niet voortdurend van alles uit hoef te leggen, kan ik tenminste weer normaal verder. Dan is het moeilijkste tenminste achter de rug."
Loes keek haar bedenkelijk aan. Als Paulien echt dacht dat dit het moeilijkste gedeelte was, dan zou ze nog van een koude kermis thuiskomen, vreesde ze. Er stonden haar nog heel wat moeilijkheden te wachten die ze nu niet zag. Ze zei echter niets. Het had geen enkel nut om haar daar op te wijzen, daar kwam ze vanzelf wel achter. Dit proces moest stap voor stap genomen worden. Niet alleen door Herman, ook door Paulien.
Het werd geen makkelijke dag voor Paulien. Slechts een enkeling durfde naar haar toe te komen om erover te praten, sommige col-

lega's deden of ze haar niet zagen, anderen ontweken haar openlijk. In de kantine viel het stil toen ze binnen kwam lopen voor haar lunchpauze en ze voelde de blikken gewoonweg in haar rug branden. Het kostte haar enorm veel moeite om met opgeheven hoofd aan een tafeltje te gaan zitten. Het liefst was ze weggevlucht, weg van die starende blikken, het gefluister en de soms kwetsende opmerkingen van mensen die het niet eens slecht bedoelden, maar die het niet echt begrepen. Zelfs Irene meed haar blik, waar Paulien uit begreep dat zij en Herman de avond daarvoor nog lang onderwerp van gesprek waren geweest tussen haar en Victoria. Ze was blij dat ze Victoria niet tegenkwam die dag. Haar openlijke afschuw had echt pijn gedaan.

Herman kwam haar om vijf uur halen voor het bezoek aan zijn ouders. Hij had broodjes bij zich om onderweg te eten, anders zou het veel te laat worden. Het was een rit van ruim twee uur, eigenlijk te lang om op één avond heen en weer te rijden. Zijn ouders hadden dan ook verbaasd gereageerd op zijn aankondiging dat hij langs zou komen, vertelde hij.

"Dan zijn ze niet de enige, ik heb de hele dag verbaasde blikken gezien," zei Paulien wrang. "Niet alleen verbaasde trouwens. Ook afkeurende en zelfs triomfantelijke van 'mensen die het altijd al geweten hadden', zoals ze beweren. En nieuwsgierige, niet te vergeten. En o ja, mensen die me helemaal niet aan durfden te kijken, maar die wel achter mijn rug om het meeste commentaar leverden."

"Zo te horen heb je geen prettige dag gehad."

"Dat is zacht uitgedrukt. Jij bent er mooi tussenuit geknepen, ik krijg alles over me heen," zei Paulien bitter. "Alsof ik er persoonlijk verantwoordelijk voor ben dat jij geen man wilt zijn. Ik heb in de kantine zelfs iemand horen zeggen dat hij niet bij me in de buurt durfde te komen, omdat hij bang was zijn penis te verliezen. De groep waar hij mee aan tafel zat had de grootste lol. Lachen mensen!"

"Ze bedoelen het vast niet gemeen," vergoelijkte Herman. "Mensen weten niet hoe ze hier mee om moeten gaan. Het spijt me dat jij dit allemaal over je heen gekregen hebt."

"Mij ook." Paulien zuchtte en leunde achterover tegen haar rugleuning.

"Je hoeft dit allemaal niet te ondergaan," zei hij zacht. "Ik begrijp het volkomen als je afstand van me wilt nemen."

Bij het zien van Hermans bezeerde gezicht voelde ze zich alweer schuldig vanwege haar uitval. Hij had het al moeilijk genoeg zonder dat zij hem nog eens verwijten ging maken.

"Natuurlijk wil ik dat niet. Sorry." Ze legde haar hand op zijn knie. "Het was gewoon een rotdag en dat reageer ik op jou af. Laten we het ergens anders over hebben."

"Er is momenteel maar één onderwerp wat mijn gedachten en mijn leven beheerst, al het andere is daar ondergeschikt aan," zei Herman ernstig.

Paulien zweeg. Hier kon ze niets tegenin brengen, want zij voelde precies hetzelfde. Haar hele leven draaide ineens alleen nog maar om de transseksualiteit van Herman. Dat was zo overweldigend, er was niets anders meer belangrijk.

"Zie je er tegenop om het je ouders te vertellen?" vroeg ze na een tijdje. "Hoe zijn ze eigenlijk? Vertel eens iets over hen."

"Mijn ouders zijn geweldig," zei hij meteen. "Ik ben dan ook niet

bang dat ze me laten vallen, wel dat ik ze teleurstel. Ze hebben altijd zulke hoge verwachtingen van me gehad."
"Je wordt als mens niet minder nu je jezelf ontdekt hebt. Integendeel zelfs," merkte Paulien op.
"Het was voor hen al moeilijk te verteren dat ik verpleegkundige werd in plaats van dokter. Niet dat ze me dat ooit verweten hebben, maar ik voelde het."
"Veel ouders denken dat hun kind briljant is."
"Mijn cijfers op school gaven genoeg aanleiding om te denken dat ik een zware studie aan zou kunnen. Ik ben na de basisschool naar het gymnasium gegaan, maar dat lukte me niet. Uiteindelijk ben ik wel geslaagd voor HAVO. Op zich prima, maar niet wat van tevoren verwacht werd."
"Waardoor lukte het niet?" wilde Paulien weten.
"Ik denk dat ik teveel met andere dingen bezig was. Zoals mezelf. Ontkennen dat ik anders was kostte me zoveel energie dat ik nergens anders meer aan toe kwam. Achteraf verspilde moeite dus."
"Dat denk ik niet. Zoiets aan jezelf en daarna aan de buitenwereld toegeven kun je pas als je er volledig achter staat," merkte Paulien verstandig op. "Je had die tijd gewoon nodig."
"Ik denk dat ik onbewust wachtte op iemand als jij aan mijn zijde om me ermee te helpen," zei Herman met een snelle, liefdevolle blik opzij. "Jij hebt me het laatste duwtje gegeven."
"Wat op zich al ironisch genoeg is." Paulien beet op haar onderlip en keek naar het voorbij schietende landschap.
"Dit was niet wat je in gedachten had bij een relatie met mij, hè?" zei Herman. "Ik voel me vaak schuldig omdat ik jou erbij

betrokken heb. Tegelijkertijd ben ik juist dolblij dat ik jou heb leren kennen en dat je zo aangedrongen hebt op een avondje uit."
"Ik liet je weinig keus," gaf Paulien toe. "En nee, dit is inderdaad niet wat ik me voorgesteld had, maar dat geeft niet. Ik hou zoveel van je dat het me niet uitmaakt of je een man of een vrouw bent, hoe raar dat misschien ook klinkt. Jij bent jij, daar gaat het om."
Ze voelde de lichte druk van zijn hand op haar been, maar bleef stug uit het raampje kijken. Ze was niet helemaal eerlijk, besefte ze. Het maakte haar wel degelijk uit. Ze wilde niet dat Herman transformeerde in een vrouw, ze wilde dat hij bleef wie hij was. Een lieve, zorgzame man. Weliswaar met vrouwelijke trekjes, maar toch een man. Maar dat was een onmogelijke wens en als ze moest kiezen tussen Herman als vrouw of helemaal geen Herman, dan koos ze toch voor het eerste.
Om kwart voor acht reden ze het dorpje in waar de ouders van Herman sinds enkele jaren woonden. Ze hadden een huis aan de rand van het dorp, met uitzicht op een brede vaart die uitmondde in een meer. Herman wees haar het watersportbedrijf wat ze runden, schuin tegenover het huis.
"Ik kan me voorstellen dat ze hiervoor gekozen hebben," zei Paulien. "Wat een schitterende omgeving."
"Ze hebben het prima naar hun zin en willen niet meer terug naar de stad," vertelde Herman terwijl hij zijn auto de smalle inrit opdraaide.
Nog voordat ze uit konden stappen werd de voordeur al geopend en kwam er een jong ogende, slanke vrouw naar buiten.
"Mijn moeder," zei Herman met een warme klank in zijn stem. Hij opende zijn portier en omhelsde haar hartelijk.

"Fijn dat je er bent, jongen," zei Daphne de Boer warm. Ze draaide zich om toen ze het andere autoportier hoorde. Haar ogen werden groot van verbazing. "Nee maar, je hebt iemand meegebracht, zie ik. Dat had je wel eens mogen vertellen, jongetje. Of is dit wat je ons wilde vertellen en wat niet kon wachten tot het weekend?"
"Onder andere," mompelde Herman. Paulien zag dat hij nerveus was en vergaf hem op slag het feit dat hij niet had verteld dat zij mee kwam, waardoor ze zich plotseling erg opgelaten voelde.
"Welkom." Daphne schudde haar hartelijk de hand. Tussen hen in, met de armen om hun heen geslagen, leidde ze hen naar binnen. "Job, Herman is er!" riep ze naar boven. "Met een verrassing!" Ze knipoogde naar Paulien, die verlegen haar gezicht afwendde. Die verrassing was anders dan ze hoopten, vreesde ze.
Job de Boer was een oudere versie van Herman. Hij had hetzelfde slanke postuur als zijn zoon en dezelfde bruine ogen. Toch was er een wezenlijk verschil tussen deze twee mannen, zag Paulien. Job straalde kracht en vitaliteit uit, Herman oogde veel kwetsbaarder. Voor het eerst zag ze nu pas wat anderen al langer opgevallen was. Herman was inderdaad erg vrouwelijk, zowel in zijn uiterlijk als in zijn manieren. Naast zijn op en top mannelijke vader viel dat extra op. Het drong met een schok tot haar door.
Ondanks de hartelijke ontvangst voelde ze zich slecht op haar gemak. Ze zag de veelbetekenende, hoopvolle blik die Daphne en Job met elkaar wisselden toen zij voorgesteld werd. Blijkbaar hoopten ze dat zij de reden van hun komst was. Dat er niets anders aan de hand was dan dat Herman zijn vriendin aan zijn ouders voor wilde stellen.
Daphne schonk koffie in en serveerde dikke plakken cake, die

Paulien weigerde. Ze kon geen hap naar binnen krijgen door de spanning die ze in haar lijf voelde. Stijf zat ze op de bank. Hoewel Daphne aan één stuk door praatte, was de sfeer in de kamer geladen.
"Ik eh… Ik ben hier niet zomaar," zei Herman terwijl hij in zijn koffie roerde alsof dat karweitje alle aandacht verdiende. "Dat hadden jullie vast al begrepen."
"Vertel het maar, jongen," zei Job kalm toen het stil bleef. "Je weet dat je alles met ons kunt bespreken."
"Dit is niet makkelijk voor me." Herman staarde nog steeds in zijn koffie. "Wat ik te vertellen heb, zal een schok voor jullie zijn." Hij haalde diep adem en gooide het er toen in één keer uit. "Van binnen ben ik een vrouw. Mijn lichaam hoort niet bij me. Het past niet bij wie ik ben en hoe ik me voel."
Paulien zag hoe Daphne's vingers de leuning van haar stoel stevig vast grepen, tot haar knokkels wit werden.
"Dus toch…," zei ze zo zacht dat het bijna niet te verstaan was.
"Wat bedoel je?" vroeg Herman verward. "Wist je het?"
"Ik had mijn vermoedens," gaf zijn moeder toe. "Je bent altijd al anders geweest dan je neefjes of de jongens uit de buurt. Heel lang heb ik gedacht dat je homoseksueel was."
"Daar heb je nooit iets van gezegd."
"Dat was iets waar je zelf achter moest komen, al heb ik wel hinten in die richting gegeven," hielp ze hem herinneren. "Maar daar ging je nooit op in. Later las ik een artikel over genderdysforie en toen leek het of alle puzzelstukjes op hun plaats vielen. Dat artikel ging over jou, dacht ik. De tijd verstreek echter zonder dat je ooit iets in die richting zei, dus dacht ik…. Nou ja, dat het niet

zo was, dat ik het me verbeeld had." Ze maakte een hulpeloos gebaar met haar handen.
"Dat hoopte je," zei Herman hard.
"Natuurlijk hoopte ik dat." Daphne had er geen enkele moeite mee om dat toe te geven. "Iedere ouder wil dat zijn kind gelukkig is. Als transseksueel kun je ook gelukkig zijn, maar het is een lange weg om dat te bereiken. Een weg die ik je graag had willen besparen."
"Weet je het heel zeker?" vroeg Job.
"Denk je werkelijk dat ik het anders zou zeggen? Het heeft me jaren gekost om tot het inzicht te komen dat ik niet ben wie ik naar de buitenwereld toe lijk." Herman trommelde met zijn vingers op het tafelblad. "Ik begrijp dat jullie het graag anders gezien hadden, maar...."
"Het maakt voor ons geen enkel verschil," viel Daphne hem in de rede. Ze stond op, liep naar hem toe en sloeg haar armen om hem heen. "En ach, ik heb altijd al graag een dochter willen hebben," zei ze gesmoord.
Paulien voelde de tranen in haar ogen springen. Ze wist wel bijna zeker dat haar eigen ouders heel anders gereageerd zouden hebben als zij met een dergelijke mededeling thuis was gekomen. Uiteindelijk zouden ze het misschien geaccepteerd hebben, maar niet van harte. Daphne en Job maakte er echter geen probleem van, ze hielden van hun zoon –of dochter- zoals hij was.
Het werd een vreemde avond. Nadat de eerste emoties gezakt waren, spraken ze nog lang over wat er allemaal nog te gebeuren stond voordat Herman zich officieel vrouw mocht noemen. Daphne en Job gaven openlijk toe dat ze er moeite mee hadden,

maar dat ze wel achter hem stonden.
"Als vrouw zullen we evenveel van je houden als we nu doen," vertolkte Job die gevoelens.
"Dus het is geen teleurstelling voor jullie?" wilde Herman weten.
"Teleurstelling?" Job fronste zijn wenkbrauwen. "Zo zou ik het niet willen formuleren. Het is vreemd en onwennig, maar zoals je moeder al zei komt het voor ons niet totaal uit de lucht vallen."
"We maken ons wel bezorgd," viel Daphne hem bij. "Het wordt een lang, moeizaam traject en het zal niet altijd meevallen. Er zullen ongetwijfeld dagen komen waarop je je afvraagt waar je aan begonnen bent."
"O nee." Herman schudde beslist zijn hoofd. "Daarvoor heb ik er te lang over gedaan om toe te geven wie ik ben. Het liefst zou ik vandaag alles al gerealiseerd zien, inclusief de operatie. Zaterdag gaan we een garderobe aanschaffen, dus vanaf die dag ga ik uiterlijk al als vrouw door het leven. Dat duurt me eigenlijk al te lang, maar Paulien heeft net een week vakantie gehad, ze kan niet weer vrij nemen."
"Is dat niet iets wat je beter alleen kunt doen?" vroeg Daphne zich af.
"Juist niet. Ik heb me altijd tegen mijn gevoel afgezet en geprobeerd me als man te profileren, dus ik heb me nooit verdiept in vrouwenkleding. Waarschijnlijk loop ik straks gigantisch voor schut als ik me niet goed laat adviseren."
"Ik doe het graag," zei Paulien.
"Werkelijk? Het lijkt me een enorme belasting voor jou," zei Daphne peinzend. "Begrijp me goed, ik vind het een zeer prettig idee dat Herman iemand heeft die pal naast hem staat, maar kun

je dit echt aan? Overzie je de hele situatie goed? Herman wordt een totaal ander persoon, dat moet je niet onderschatten."
"Herman blijft voor mij gewoon Herman," zei Paulien met een glimlach. Ze pakte zijn hand vast en kneep erin. "Net als jullie blijf ik gewoon van hem houden."
Niet voor het eerst die avond onderschepte ze de blik die Daphne en Job met elkaar wisselden. Het was voor de mensen in hun omgeving blijkbaar moeilijk te begrijpen dat zij Herman niet in de steek liet onder deze omstandigheden, zelfs voor zijn ouders die net zelf hadden aangegeven dat het voor hen geen verschil maakte. Maar zij kon het aan, daar was ze van overtuigd. Geen haar op haar hoofd dacht eraan hun relatie te beëindigen, alleen maar omdat Herman straks jurken zou dragen in plaats van broeken.

HOOFDSTUK 9

De dag voorafgaand aan de zaterdag die Herman met grote, rode uitroeptekens in zijn agenda had gezet, was het stralend weer. De zon scheen uitbundig, zo de naderende zomer aankondigend. Bij het verlaten van het ziekenhuis snoof Paulien diep de kruidige voorjaarslucht in.
"Surprise!" Ineens stond Herman naast haar, met een brede lach op zijn gezicht.
"Herman, wat kom jij hier nou doen?"
"Is dat alles? Krijg ik geen zoen ter begroeting?" informeerde hij. Midden op het parkeerterrein omhelsde hij haar stevig.
Paulien keek schichtig om zich heen. Ze zag een groepje collega's hun kant opkijken, ze begonnen meteen druk te fluisteren. Victoria liep door de brede draaideuren naar buiten, zij wendde snel haar hoofd af en liep de andere kant op.
"Niet hier," zei Paulien jachtig. "Waar staat je auto?"
"Verderop. Wat is er? Schaam je je voor me?" vroeg Herman zonder omwegen.
"Ik krijg al genoeg over me heen hier, we hoeven ze geen voorstelling te geven," mompelde Paulien. Ze was blij toen ze zijn wagen hadden bereikt en ze in kon stappen, weg van de stekende blikken die ze in haar rug voelde branden. Pas twee straten verder durfde ze weer rustig adem te halen.
"Ik had een andere begroeting in gedachten," merkte Herman wrang op. "Ik ben niet van plan om me te verstoppen, Paulien. Ooit sta ik als vrouw op je te wachten. Wat doe je dan? Me negeren?"

"Sorry, ik had gewoon geen zin om nog meer voer aan de roddels te geven. Je hebt geen idee hoe er over jou, over ons, gepraat wordt."
"Ik ben bang dat je daar aan moet wennen. Mensen roddelen en oordelen altijd."
"Jij hebt er geen last van. Je hebt ontslag genomen voordat de waarheid aan het licht kwam. Ik ben het mikpunt geworden in plaats van jou," zei Paulien vinnig.
"Als jij dat wilt, wil ik met alle liefde de confrontatie aangaan met al mijn ex-collega's. Dan loop ik naar binnen en kunnen ze me alles zeggen en vragen wat ze willen. Misschien haalt dat de druk een beetje van de ketel en laten ze jou met rust."
"Denk je dat zelf?" Paulien liet een kort lachje horen. "Ik probeer er juist boven te staan en er niet op te reageren."
"Misschien is dat juist het probleem. Je durft de mensen niet openlijk tegemoet te treden, je praat er niet over, je verbergt je," legde Herman de vinger op de zere plek. "Alsof je je schaamt. Hoe kun je verwachten dat mensen het accepteren als je dat zelf niet eens kunt?"
"Schamen is een te groot woord, ik voel me er wel ongemakkelijk bij," bekende Paulien. "Deze mensen kennen je allemaal als man, ze hebben van dichtbij gezien hoe wij een relatie kregen. Eerlijk gezegd voel ik me een beetje voor schut staan tegenover hen."
"Dat is nergens voor nodig. Ze kunnen alleen maar bewondering hebben voor hoe jij je opstelt," zei Herman warm.
"Niet iedereen denkt daar zo over," zei Paulien met een grimas. "Sommigen hebben duidelijk medelijden met me, anderen denken dat ik het niet aankan. Loes zei in het begin zoiets en ook je

ouders lieten dat merken."
"Niets van aantrekken. Jij kan alles aan," sprak Herman vol vertrouwen. Hij parkeerde zijn auto voor het park.
"Wat gaan we hier nou doen?" vroeg Paulien verbaasd.
"Genieten van het mooie weer en picknicken," antwoordde Herman opgewekt. Hij pakte een grote mand en een kleed uit zijn achterbak. "Heb jij je gerealiseerd wat voor dag het vandaag is?"
"Vrijdag?"
"Grappenmaker. Vandaag is mijn laatste dag als man," verklaarde hij. "Vanaf morgen ben ik, althans voor de buitenwereld, een vrouw."
"En dat wil je vieren?" Paulien kon nog net voorkomen dat haar stem cynisch klonk.
"Niet zozeer vieren, ik wil deze periode afsluiten. En met wie kan ik dat beter doen dan met mijn grote liefde?" Hij lachte en sloeg zijn arm om haar heen.
Het was druk in het park. Op een groot grasveld lagen tientallen mensen te genieten van het onverwachte zonnetje. Precies in het midden was nog een mooie, vlakke, lege plek, waar Herman het kleed op uitspreidde. Uit de mand kwamen bordjes, glazen, bestek en diverse schalen met eten.
"O, wat heerlijk." Paulien gluurde onder één van de deksels. "Kipwraps. Zelf gemaakt?"
"Zelf gekocht," verklaarde hij trots. "Deze salades heb ik wel zelf gemaakt, de aardbeientaart komt van de banketbakker vandaan."
"Wat een goed idee van jou," prees Paulien. Ze deed haar schoenen uit en liet zich op het kleed zakken. De zon verwarmde haar gezicht en ze sloot genietend even haar ogen. Dit was beter dan

de boterham met gebakken ei die ze als avondmaal in gedachten had gehad. Lachend en kletsend lieten ze zich het eten goed smaken. De sfeer was vrolijk en ontspannen en Paulien kon zich zelfs even verbeelden dat er niets aan de hand was, dat ze gewoon een verliefd stelletje waren. Een man en een vrouw, zoals de meeste stellen. De gedachte aan wat de dag van morgen zou brengen, duwde ze ver van zich af. Daar wilde ze nu niet bij stilstaan, ze wilde alleen maar van dit moment genieten.
"Ik hoop dat het een lange, warme zomer wordt," mijmerde ze. "Met van die zwoele avonden, waarop je tot laat buiten kunt blijven zitten zonder dat het afkoelt."
"De wens van negenennegentig procent van de Nederlanders," wist Herman. "Het zal in ieder geval een gedenkwaardige zomer worden."
"Ik ben van plan om veel te gaan zwemmen." Paulien wist wat hij bedoelde, maar praatte er expres overheen. Niet weer een ellenlang gesprek over de komende transformatie. Daar hadden ze al zo verschrikkelijk veel over gepraat. Het leek wel of er niets anders meer bestond. "Vlak bij mijn flat is dat kleine meertje en daar schijnt zomers veel in gezwommen te worden. Lijkt me een prima manier om de dag mee te beginnen."
"Ik heb liever een schoon zwembad," grijnsde Herman. "Al die vissen die tussen je door zwemmen en modder tussen je tenen is niks voor mij. En dan heb ik het nog niet eens over de mensen die het meer als openbaar toilet beschouwen."
"Oké, tot zover dus mijn idyllische droom om de warme zomerdagen in het meer te beginnen," zei Paulien droog. "Ik ga maar gewoon joggen, denk ik."

Herman lachte en vulde haar glas nog eens bij. Vervolgens sneed hij de aardbeientaart in stukken en begon hij haar kleine hapjes van het zoete gebak te voeren.
"Hmm, dit is echt heerlijk," genoot ze.
"Ik weet wel wat jij lekker vindt," zei hij met een knipoog.
"Ik ben anders wel bang dat je meer verstand van vrouwen dan van het weer hebt." Paulien keek omhoog. De net nog zo stralend blauwe lucht was nu bewolkt. Op haar hand voelde ze de eerste regendruppel uit elkaar spatten. "Dit gaat niet goed, Herman."
"Misschien kunnen we beter inpakken," was hij het met haar eens. "Jammer, ik had het net zo naar mijn zin. Maar thuis kunnen we het ook gezellig maken." Hij keek haar doordringend aan en Paulien voelde haar wangen kleuren bij de betekenisvolle blik in zijn ogen. Haar lichaam gloeide van liefde voor deze man.
Ze hadden nog maar net alles terug in de mand gestopt toen er van het ene op het andere moment een enorme hoosbui losbrak. Aan alle kanten vluchtten de mensen om hen heen weg, in een poging beschutting te vinden onder dik bebladerde bomen en het afdakje van het gesloten paviljoen. In een mum van tijd waren ze compleet doorweekt.
"Kijk nou." Met schitterende ogen wees Herman om zich heen. "Daarnet lag het hier vol, nu zijn we de enigen nog op het grasveld. Iedereen staat onder de bomen."
"Vind je het gek?" vroeg Paulien op droge toon.
"We zijn nu toch al nat. Kom." Voordat ze wist wat er gebeurde pakte hij haar hand vast en begon hij danspasjes te maken op het inmiddels kletsnatte gras.
"Je bent gestoord," hijgde Paulien.

Desondanks liet ze zich door hem mee trekken. Zo sprongen ze samen rond in de stromende regen, aangestaard door tientallen mensen die onder de bomen stonden te schuilen.
"Niet gestoord, maar gelukkig," verbeterde hij haar. "Gelukkig met jou."
Zich niets aantrekkend van de starende mensen zoende hij haar lang op de mond. Een luid applaus langs de kant klonk op. Paulien kon niet anders doen dan hardop lachen.
"Wat heerlijk als je zo onbezorgd gelukkig bent," hoorde ze iemand zeggen.
Met stralende ogen keek ze Herman aan. Ja, ze was inderdaad gelukkig. Weliswaar niet onbezorgd, maar dat telde nu even niet. Dit was een gouden moment. Eentje om in haar hart te sluiten en voor altijd te bewaren.

De volgende ochtend stonden ze vroeg op. Herman kon niet wachten om de eerste winkels binnen te gaan en alles aan te schaffen wat hij nodig had voor zijn nieuwe leven. Hij had een uitgebreide lijst gemaakt die Paulien tijdens het ontbijt doorlas. Lingerie, panty's, schoenen, kleding, make-up, sieraden, hij had echt niets overgeslagen.
"Een ladyshave?" vroeg ze.
"Ik kan moeilijk een rok dragen met mijn harige benen eronder," zei Herman.
"Ja, maar een ladyshave? Is dat genoeg? Ik bedoel..." Ze maakte een gebaar naar zijn blote benen onder zijn badjas.
"Mijn haargroei wordt minder en de haren zachter onder invloed van de hormonen," wist hij. Hij stak één been vooruit. "Kun je je

voorstellen dat ik straks mooie, gladden benen hebt?"
"Nee," zei Paulien. "Mooi wel, maar glad? Is het trouwens niet handiger om nu te scheren in plaats van vanavond? Dat maakt het passen van kleren veel leuker."
"Je bent geweldig," prees hij. "Alleen heb ik nu nog geen ladyshave."
"Maar wel een gewoon scheerapparaat. Als dat niet afdoende is heb ik wel ontharingscrème," bood Paulien aan.
Ze gingen samen aan de slag en een kwartier later was er niets meer te zien van haargroei. Hermans benen waren nu niet alleen slank, maar ook glad en zacht. Vrouwenbenen, drong het tot Paulien door. Het was een vreemde gewaarwording voor haar, deze eerste stap naar de uiteindelijke verandering. Hoe bizar ook, ze was blij dat ze hem hiermee mocht en kon helpen. Een afspraak bij de kapper was ook al gemaakt. Hermans vrij lange haren zouden niet gekortwiekt worden, maar wel in een model worden geknipt wat beter bij vrouwen dan bij mannen paste, had de kapper beloofd.
Nog voor openingstijd stonden ze al bij de eerste winkel. Herman was zo opgewonden dat hij het geen seconde langer meer uit kon houden thuis. Totdat de deuren geopend werden wipte hij rusteloos van zijn ene been op het andere. Nu hij zichzelf eindelijk had geaccepteerd zoals hij was voelde hij geen schaamte meer wat betreft zijn gevoelens. Hij was zo blij als een kind wat onverwacht een cadeautje uit mocht zoeken. Zodra hij zijn nieuwe garderobe had, zou hij zijn mannenkleding ritueel verbranden, had hij zich voorgenomen.
Voor de eerste benodigdheden had Paulien een groot warenhuis

uitgekozen.
"Hier hebben ze alles," zei ze. "Dan kun je de eerste behoeften kopen, daarna kunnen we altijd nog naar wat leukere winkels, maar je moet eerst een basis hebben."
Herman keek zijn ogen uit op de lingerieafdeling, waar ze startten. Het fijne kant van de slipjes en de bh's deden de tranen in zijn ogen schieten toen hij er voorzichtig aan voelde. Het idee dat hij dit straks allemaal aan mocht trekken stemde hem meer dan gelukkig. Nu besefte hij pas echt wat hij al die jaren gemist had door zich als man te gedragen terwijl hij dat in wezen niet was. Bij het passen van de diverse setjes voelde het alsof hij thuiskwam. De bevreemde blikken van andere klanten en het gesmoes achter zijn rug om merkte hij niet eens op, zo verdiept was hij in het uitzoeken van wat hij mooi vond.
Paulien merkte het echter wel en zij voelde zich er behoorlijk ongemakkelijk onder. Te laat bedacht ze dat ze beter een aantal spullen via een postorderbedrijf hadden kunnen bestellen, zodat hij thuis alles op zijn gemak had kunnen passen, zonder starende blikken om hen heen. Voorzichtig stelde ze dit voor, maar Herman wist niet meer van ophouden nu hij eenmaal begonnen was.
"Wat kan mij het schelen wat de mensen denken" zei hij terwijl hij een nieuw setje uit de rekken haalde en het bij hemzelf voorhield. Hij lachte stralend naar een tweetal vrouwen die hem afkeurend bekeken. "Ja dames, er komt concurrentie aan!" riep hij jolig.
"Houd op!" siste Paulien. "Ik sta al genoeg te kijk hier zonder dat je de aandacht nog eens extra op jezelf vestigt." Met een rood hoofd van schaamte trok ze hem mee. "Je hebt nu genoeg onder-

goed om even vooruit te kunnen. We gaan naar de tweede etage, voor kleding."

Ze hoopte dat ze daar wat minder op zouden vallen, maar het gestaar en gesmoes begon direct weer zodra Herman met enkele kledingstukken in de paskamers verdween. Een geagiteerde verkoopster rende zelfs achter hem aan.

"Meneer, meneer, u mag daar niet naar binnen," zei ze paniekerig. "Dit zijn dameskleedhokjes."

"Daarom ben ik hier ook," antwoordde Herman vriendelijk. "Ik zie eruit als een man, dat weet ik, maar ik ben een vrouw en ik wil graag wat kleren passen. En kopen uiteraard," voegde hij daar met een knipoog aan toe.

"Eh, ja... Gaat uw gang dan maar," zei het meisje verward.

Paulien had het gevoel dat de vlammen haar uitsloegen. Verscheidene mensen waren blijven staan bij de uitroep van de verkoopster. Sommigen liepen nu lachend verder, anderen keken naar Paulien alsof zij hier persoonlijk verantwoordelijk voor was.

" Een schande, dat is het," mompelde een oudere vrouw.

Paulien voelde zich steeds kleiner worden. Ze wenste dat ze zichzelf op kon lossen om in het niets te verdwijnen. Dit had ze zich allemaal niet gerealiseerd. Herman wilde een vrouw zijn -was een vrouw- en zij zou hem daarin steunen. Dat vond ze niet meer dan logisch. Ze had zich er zelfs op verheugd om hem te helpen met het uitzoeken van mooie kleding. Tot nu toe dan. Als ze dit van tevoren had beseft, was ze nooit met hem meegegaan, dat wist ze zeker. Ze schaamde zich dood.

Ze was dan ook dolblij toen ze aan het eind van de dag bepakt en bezakt huiswaarts gingen. Herman wilde nog naar een parfumerie, maar een blik op haar horloge vertelde haar dat daar geen tijd meer voor was. Ze slaakte een zucht van verlichting. Daar kwam ze in ieder geval onderuit. Ze konden waarschijnlijk beter naar andere winkels gaan als Herman als vrouw gekleed was, dan vielen ze wellicht minder op. Dit wilde ze geen tweede keer meer meemaken.

Ze haalden onderweg naar zijn huis iets te eten en nadat ze dat op hadden verdween Herman naar zijn slaapkamer om zich om te kleden.

"Nee, je mag me niet helpen," zei hij toen Paulien ook opstond. "Met het advies wat ik heb gekregen op de make-upafdeling moet het me lukken om mezelf aan te kleden en op te maken. Dat zal ik in het vervolg toch ook moeten doen."

"Het is heus niet makkelijk om je op te maken," stribbelde Paulien tegen. "Je doet al snel te veel op, waardoor het onnatuurlijk en juist lelijk wordt."

"Als het niet goed zit mag jij het overnieuw doen, maar ik wil het eerst zelf proberen," bedong hij.

Hij verdween de slaapkamer in en Paulien pakte een tijdschrift, waar ze verveeld in bladerde. Pas toen ze een artikel las wat haar aandacht trok, realiseerde ze zich dat ze een vrouwenblad aan het lezen was. Niet echt het eerste wat je verwachtte aan te treffen in het huis van je vriend. Met een zwaai gooide ze het van zich af. Verdorie, had Herman niet gewoon een blad vol auto's of voetbal, foeterde ze in zichzelf. Desnoods een Playboy. Rusteloos drentelde ze door de kamer en de keuken. Om iets te doen te hebben zette ze koffie, hoewel ze daar helemaal geen trek in had. Het duurde wel lang. Eindelijk ging dan toch de deur van de

slaapkamer open.
Paulien keek op, haar ogen werden groot van verbazing. In de winkel was Herman een man geweest met vrouwenkleding aan, de persoon die nu uit de slaapkamer kwam was echter op en top vrouw. Ze had bijna de neiging om haar te vragen wat ze hier in de flat van haar vriend deed. De rok die Herman droeg viel soepel om zijn heupen en verborg het feit dat hij geen taille bezat. De vrolijk gekleurde blouse paste er uitstekend bij, evenals de pumps met hak, die hij droeg alsof hij nooit anders had gedaan. Ook Hermans gezicht was veranderd. Met de subtiele make-up op waren zijn trekken zachter en vrouwelijker dan ooit. Zilverkleurige speldjes in het haar verdoezelden zijn mannelijke kapsel. De grote oorbellen completeerden het geheel.
"En? Wat vind je ervan?" Koket draaide hij rond. Zelfs zijn maniertjes waren ineens vrouwelijk. Het was zo'n complete metamorfose dat Paulien niets anders kon doen dan hem verbijsterd aanstaren. Ze kreeg geen woord over haar lippen.
"Zeg eens wat," drong Herman aan. "Hoe vind je me als Hermien?"
"Je bent heel iemand anders," bracht Paulien met moeite uit.
Herman, oftewel Hermien, schudde haar hoofd.
"Integendeel. Ik ben nu pas mezelf. Van nu af aan ben ik vrouw, ongeacht wat er onder deze kleding zit," zei ze rustig. "Ik wil nu ook geen Herman meer genoemd worden, maar Hermien. Mijn oude kleren ga ik onmiddellijk wegdoen. Ik wil niet eens meer herinnerd worden aan het feit dat ik jarenlang als man door het leven ben gegaan."
Verward keek Paulien toe hoe deze voor haar nieuwe verschij-

ning door de kamer liep en bevallig plaatsnam op de bank. Zelfs zijn gebaren en manier van lopen waren vrouwelijk. Kwam dat door de kleding of was dat altijd al zo geweest, maar viel het haar nu pas op? Ze had op tv wel eens mannen in vrouwenkleding gezien, maar die liepen en bewogen toch meer mannelijk dan vrouwelijk. Herman niet. Herman was inderdaad in één klap Hermien geworden. Ondanks alles wat hij haar had verteld en het feit dat ze zelf deze kleding met hem had uitgezocht, werd Paulien daar toch door overvallen.
"Kom eens hier," verzocht Hermien lachend. Pauliens gemoedstoestand leek haar niet op te vallen. Ze strekte haar armen naar haar uit. "Dan kun je eens ervaren hoe het voelt om met een vrouw te zoenen."
Onwillekeurig deed Paulien een stap achteruit. Een golf van misselijkheid steeg in haar op.
"Ik... Nee...," hakkelde ze. "Ik eh... Sorry, ik kan dit niet."
Het drong nu pas tot Herman door dat Paulien niet bepaald enthousiast was.
"Vind je het niet mooi?" vroeg ze teleurgesteld. "Wat heb ik verkeerd gedaan?"
"Dat is het niet. Je bent prachtig," zei Paulien naar waarheid. "Het is alleen... Je bent Herman niet meer."
"Dat klopt, ik ben Hermien."
"Maar... Je bent een vrouw."
"Lieve schat, dat is nou precies wat ik je al die tijd al duidelijk probeerde te maken. Dat wist je toch?"
"Jawel, maar nu... Het is zo verwarrend. Ben ik nu lesbisch?" vroeg Paulien zich hardop af.

"Waarom wil je persé in een hokje met een naam geplaatst worden?" vroeg Hermien rustig. "Jij bent Paulien, ik ben Hermien en we houden van elkaar, dat is genoeg. Daar hoeft geen label op. Het gaat er toch om dat we bij elkaar willen zijn? Liefde vraagt nergens om."
"Ik ben bang dat het voor mij niet zo simpel ligt," bekende Paulien. Ze kon haar ogen nog steeds niet van Hermien afhouden, maar maakte geen aanstalten om naar haar toe te gaan. "Je lijkt een vreemde voor me."
"Dat vind ik heel erg, maar dat is niet iets waar ik wat aan kan veranderen. Dit is wie ik ben, wat ik ben. Dit ben ik ook altijd geweest."
"Voor mij niet. Je was Herman."
"Ik zag eruit als Herman," verbeterde Hermien haar. "Dat is heel iets anders. Alleen mijn uiterlijk verschilt nu van vroeger, Paulien, voor de rest ben ik nog hetzelfde."
Paulien schudde vertwijfeld haar hoofd.
"Ik wil naar huis," zei ze benepen. "Ik kan dit nu even niet aan." Ze draaide zich om en pakte haar jas en haar tas. Ze liep bijna tegen de deur op, zoveel haast had ze om weg te komen. Alles in haar lag overhoop en ze moest alleen zijn om te proberen dat weer op een rijtje te krijgen. "Het spijt me," mompelde ze nog voor ze de deur achter zich dichttrok.
Hermien was bleek geworden onder haar make-up. Deze reactie had ze verwacht toen ze Paulien verteld had waar ze mee worstelde. Nu niet meer. Na Pauliens herhaalde belofte om haar te steunen en te helpen was ze er heilig van overtuigd geweest dat ze, ondanks alles, altijd samen zouden blijven. Pauliens vlucht

voelde dan ook aan als een koude douche.
Ze stond op en keek in de grote spiegel tegen de deur van de gangkast. Wat ze zag beviel haar uitermate goed. Té goed om het terug te draaien. Als deze transformatie het einde van hun relatie betekende vond ze dat vreselijk, toch kon ze niet anders. Er was geen weg meer terug. Ze kon zichzelf niet langer verloochenen, ook niet ter wille van Paulien. Ondanks de pijn die haar reactie veroorzaakte, voerde het geluk bij het zien van haar spiegelbeeld toch de boventoon.

HOOFDSTUK 10

Paulien besefte amper waar ze liep. Haar hoofd was zo vol met verwarde gevoelens en twijfels dat er geen ruimte meer leek te zijn voor praktische zaken. Ze dwaalde door de stad heen als een zwerfster, niet lettend op triviale zaken zoals de tijd, de route die ze nam of de mensen die haar passeerden, tot ze na een tijdje ruw vastgepakt werd door een man die ze bijna ondersteboven liep.
"Hé dame, even uitkijken waar je loopt," zei hij terwijl hij haar bij haar schouders pakte. "Er zijn meer mensen op de wereld. Verroest, Paulien! Dat is lang geleden."
Pas bij die laatste woorden keek ze op, recht in het gezicht van haar ex-vriend Frank Meelis. Hij was geen spat veranderd sinds de laatste keer dat ze hem gezien had, ruim een jaar geleden. Hij was nog net zo lang en gespierd als toen, zijn haren nog net zo kort en zijn houding nog net zo bot als ze zich herinnerde. Ze hadden aardig wat ruzies gehad voordat ze besloten uit elkaar te gaan, desondanks leek hij oprecht blij haar te zien.
"Kom, dan gaan we wat drinken. Even bijpraten," zei hij resoluut. Hij pakte haar arm vast en voerde haar zo mee terug het café in waar hij net vandaan kwam. Net als vroeger vroeg hij niet of ze mee wilde, maar besloot hij voor haar. Juist die houding was haar zo tegen gaan staan dat ze een eind aan hun relatie maakte, op dit moment vond ze het juist echter prettig dat iemand anders het initiatief nam. Dan hoefde ze zelf tenminste niet na te denken met haar verwarde hoofd. Als Frank haar gevraagd zou hebben of ze iets met hem wilde gaan drinken had ze daar waarschijnlijk niet eens normaal antwoord op kunnen geven.

In het warme café met de gedempte verlichting en het geroezemoes van stemmen van de andere klanten, kwam Paulien wat bij. Ze nipte van de koude wijn die Frank ongevraagd voor haar had besteld. Zo leek het even net of er niets aan de hand was.
"Hoe is het met jou?" vroeg Frank. Zijn ogen dwaalden naar haar handen. "Geen ring, zie ik, dus nog steeds niet getrouwd. Wel een relatie?"
Paulien aarzelde even met haar antwoord. Had ze eigenlijk nog een relatie? Ze wist het zelf niet eens. Een vriend had ze in ieder geval niet, spotte ze in zichzelf. Wel een vriendin, maar dat was nu net wat ze niet wilde.
"Eh, ja," stotterde ze omdat ze zag dat Frank een antwoord verwachtte. "Maar…"
"Het gaat niet zo lekker," constateerde hij toen ze stokte. "Ik ken dat, meid, welkom bij de club. Na jou heb ik twee vriendinnen gehad, met de laatste is het sinds een week uit. Misschien zijn wij toch wel te snel uit elkaar gegaan. Met anderen lukt het tenslotte ook niet."
"Wij hadden altijd ruzie," zei Paulien.
Hij lachte bulderend, alsof ze een goede grap vertelde.
"Dat was in ieder geval een teken dat we elkaar niet onverschillig lieten en dat is ook wat waard. Vertel eens, hoe is het je vergaan sinds we elkaar voor het laatst gezien hebben?"
"Ik werk tegenwoordig in het plaatselijke ziekenhuis, op de personeelsadministratie. Ik ben ook verhuisd, naar een klein, maar heerlijk flatje vlak achter het centrum."
"Bij mij in de buurt dus." Frank grijnsde. "Zie je wel? Je bent me gewoon achterna gekomen. Geef nou maar toe dat je me niet kunt

missen. Neem nog een wijntje, schat."
Hij wenkte de barman voordat ze de kans had om te protesteren. Maar ach, waarom zou ze eigenlijk weigeren? Paulien leunde achterover in haar stoel. Het was hier lekker warm en gezellig, bovendien had ze slechter gezelschap kunnen treffen dan Frank. Voordat ze die heftige ruzies kregen hadden ze het goed gehad samen en het was best leuk om herinneringen aan die tijd op te halen.
Ze praatten tot diep in de nacht, onderwijl goot Paulien het ene na het andere glas wijn naar binnen, net zo lang tot de wereld haar weer vrolijk toelachte en ze de gedachte aan haar problemen naar de achtergrond kon dringen. Het was zo gezellig dat ze zich serieus afvroeg waarom Frank en zij ooit uit elkaar waren gegaan.
"Omdat jij altijd zo zeurde als ik mijn eigen ding deed," antwoordde Frank toen ze daar een lodderige opmerking over maakte. "Ondanks dat mis ik je toch, schat."
Paulien giechelde toen zijn hand op haar been belandde en langzaam omhoog schoof. De alcohol en zijn aanraking brachten haar hoofd volledig op hol. Ze protesteerde dan ook niet bij Franks voorstel om met hem mee naar huis te gaan. Als in een roes stond ze op. Ze wankelde zo dat ze zich aan hem vast moest klemmen en hij nam maar al te graag de taak op zich om haar overeind te houden.
"Sterke man,' grinnikte ze. "Heel anders dan Herman."
"Die Herman is vast een watje, als ik dit zo hoor," reageerde Frank.
Paulien moest hier diep over nadenken met haar benevelde brein. Toen schudde ze haar hoofd, een gebaar waar ze direct spijt van

kreeg omdat ze er duizelig van werd.
"Herman is geen watje. Herman is een vrouw," zei ze. Frank keek haar aan alsof hij water zag branden, wat waarschijnlijk niet zo vreemd was. Ze had hem niets verteld van alles wat haar de laatste tijd zo bezig had gehouden. Hij begreep dan ook niets van deze opmerking. Dronkenmanspraat, dacht hij bij zichzelf. Eenmaal buiten tilde hij haar zonder plichtplegingen op om haar naar zijn appartement te dragen, twee straten verder. Paulien gilde het uit van het lachen.
"Als die Herman een vrouw is, wordt het tijd dat jij weer eens een echte vent tussen de lakens voelt," zei Frank beslist.
Paulien legde haar hoofd tegen zijn borst aan. Een brede, behaarde borst. Heel iets anders dan de smalle borst van Herman, die hij zorgvuldig glad hield. Herman hield niet van lichaamsbeharing. Ze had nooit begrepen waarom niet, tot aan zijn bekentenis.
Na Herman met zijn liefdevolle aandacht voor haar en de zachte seks die hij bedreef, voelde Frank aan als een verademing. Het ging er die nacht ruw aan toe in zijn bed. Frank hield niet van eindeloos strelen en Frank fluisterde geen lieve woordjes in haar oren. Nee, Frank pakte haar vast en nam bezit van haar lichaam. Frank was een man. Een echte, ruwe, harde man. Precies waar ze even behoefte aan had na de dag die achter haar lag.
De kater kwam de volgende ochtend pas. Een dubbele kater zelfs. Eén veroorzaakt door de vele wijn en eentje die toesloeg bij het besef wat ze gedaan had. Bij het zien van Frank naast haar op het moment dat ze haar ogen opende, besefte Paulien pas wat er gebeurd was. Ze kreunde.
"Goedemorgen schat." Ook Frank werd wakker. Hij keek haar

breed grijnzend aan. "Lekker geslapen? Volgens mij was dit precies wat je nodig had."
"Ik voel me anders alsof ik onder een vrachtwagen heb gelegen."
"Nee, onder mij," reageerde hij ad rem. "En het is me prima bevallen, moet ik zeggen." Hij rekte zich ongegeneerd uit. "Wat dacht je van koffie?"
"Graag. Zwart en heet."
"Dat bedoelde ik niet. Ga me niet vertellen dat je hier de weg niet meer weet. Als jij koffie zet, ga ik douchen," zei Frank terwijl hij uit bed stapte.
Herman zou zelf koffie hebben gezet. Niet alleen dat, hij zou ook een ontbijtje hebben gemaakt, dacht Paulien bij zichzelf. O nee, Hermien. Herman was Herman niet meer. De tranen liepen ineens over haar wangen bij deze wetenschap. Herman was weg, voorgoed.
Onwillekeurig stond ze op om aan Franks verzoek te voldoen. Ze kon beter bezig blijven dan liggen piekeren, daar schoot ze ook niets mee op. Haar hoofd was nog steeds een warboel en nu had ze er nog een flinke hoofdpijn bij ook. Bij haar koffie nam ze dan ook twee aspirientjes.
"Kater?" informeerde Frank.
Ze knikte. "Niet alleen van de drank. Het is niet goed wat wij gedaan hebben, Frank."
"Het voelde anders uitstekend."
"Ik heb een relatie."
"Ja, hoe zit dat nou precies?" Hij keek haar vragend aan. "Je zei iets over een vrouw? Heb je tegenwoordig een vriendin of zo? Er was natuurlijk geen enkele man die aan mij kon tippen," grijnsde hij.

“Het ligt nogal ingewikkeld. Mijn vriend heeft ontdekt dat hij eigenlijk een vrouw is. Hij zit nu midden in zijn transformatie,” legde Paulien summier uit.
“Gadverdamme.” Frank deed geen enkele poging zijn afgrijzen te verbergen. “Zo’n mietje. Wat moet je daar nou mee, Paulien? Loos die handel en kom terug bij mij. Ik heb je echt gemist.”
Op dat moment klonk dat voorstel heel verleidelijk in Pauliens oren. Frank was een stuk minder gecompliceerd dan Herman. Hij was niet bepaald lief of zorgzaam, maar ze wist wel precies wat ze aan hem had. Hij zou haar nooit voor dergelijke verrassingen plaatsen. Het was echter Hermans gezicht wat op haar netvlies kleefde, ook nu ze tegenover Frank zat. Of nee, Hermiens gezicht, verbeterde Paulien zichzelf. Daar zou ze zich nog wel vaker in vergissen.
“Ik hou van hem. Haar,” zei ze langzaam. “O verdomme, Frank. Waarom is het leven soms zo moeilijk?”
“Het is zo moeilijk als je het zelf maakt,” meende hij. “Je hoeft je al die ellende niet op de hals te halen. Ik meende wat ik zei, Paulien. Ik wil heel graag opnieuw beginnen met je.”
“Dat zou niet verstandig zijn. Niet op dit moment tenminste. O, ik weet het zelf allemaal niet meer.” Paulien schoof haar lege beker van zich af en stond op. “Ik ga naar huis. Ik moet hier over nadenken.”
“Bij mij ben je in ieder geval altijd welkom, vergeet dat nooit.”
Paulien gaf hier geen antwoord op en begon zich aan te kleden. Wist ze maar wat ze moest doen. De nacht met Frank had alles nog gecompliceerder gemaakt. Waren haar gedachten gisteren een warboel geweest, nu was het één grote chaos.

Thuis kwam ze tot de ontdekking dat de batterij van haar mobiel leeg was. Loes had haar gebeld, zag ze toen ze de adapter van haar oplader in het stopcontact had gestopt. Net als Herman trouwens. Er stonden verschillende berichten van hem op haar voicemail. Van haar, moest ze zeggen. Verdomme. Paulien besloot nog niet terug te bellen. Ze moest eerst proberen met zichzelf in het reine te komen. Er speelde ineens zoveel tegelijkertijd. Ze wist niet of ze het aankon om een relatie met Hermien te hebben, ook al zat Herman in dat lichaam verstopt. Het was zo bizar allemaal. Ze had er nog nooit een seconde aan gedacht om iets met een vrouw te beginnen en nu werd het haar min of meer opgedrongen. Het klopte niet, ondanks haar liefde voor hem. Dat die liefde echt was, wist ze wel zeker, ze had alleen geen idee wat ze daar mee aan moest. Hoe kon ze nu een relatie opbouwen met een vrouw? Wel belde ze naar Loes.
"Kom naar mij toe," stelde die voor. Ze merkte dat haar vriendin behoorlijk met zichzelf in de knoop zat. "Dan kunnen we er rustig over praten."
"Ik doe al weken niets anders dan over deze situatie praten, maar dat lost niets op," zei Paulien somber.
"Dan gaan we iets anders doen, dan heb je afleiding."
"Een strandwandeling?" Paulien keek uit het raam. Het warme lenteweer van afgelopen vrijdag was nergens meer te bekennen. Het waaide hard en de lucht zag er donker en dreigend uit. "Kunnen we lekker uitwaaien."
Dus liepen ze een uur later over het strand, allebei met een dikke jas aan en met hun handen in de zakken verstopt. Er waren meer mensen op het idee gekomen de harde wind te trotseren, het was

behoorlijk druk. Kinderen en honden renden heen en weer en verliefde stelletjes liepen met de armen om elkaar heen langs de vloedlijn. Ondanks Pauliens bewering dat ze niet wilde praten, begon ze er al over nog voordat ze goed en wel de trap naar het strand waren afgedaald.

"Het was of ik een dreun midden in mijn gezicht kreeg," zei ze. "Herman als Hermien zien kwam totaal onverwachts. Belachelijk natuurlijk, na alle voorbereidingen, maar zo voelde het wel voor me."

"Ik denk dat jij dit gedeelte een beetje onderschat hebt," meende Loes. "Je hebt al die tijd vastgehouden aan het idee dat Herman niet wezenlijk zou veranderen door een jurk aan te trekken, maar zo ligt het natuurlijk niet."

"Ik ben behoorlijk naïef geweest, ja," gaf Paulien toe.

"Zo zou ik het niet willen noemen. Ik weet ook niet of dit iets is waar je jezelf echt op kunt voorbereiden. Maak jezelf in ieder geval geen verwijten."

"Dat doe ik wel. Ik voel me schuldig."

"Onzin," verklaarde Loes kort en bondig. "Niemand kan het jou kwalijk nemen als je deze situatie niet aankunt. Je hebt het in ieder geval geprobeerd. De meeste vrouwen zouden er meteen vandoor zijn gegaan bij het ontdekken van de ware aard van hun geliefde. Jij hebt Herman overal in gesteund."

"Tot aan het moment suprême." Pauliens stem klonk spottend.

"Is dit de doodsteek van jullie relatie?" wilde Loes weten. "Ga je er een eind aan maken?"

Die vraag bleef lang tussen hen in hangen voordat Paulien daar antwoord op gaf.

"Dat weet ik niet," zei ze uiteindelijk. "Het ene moment denk ik dat ik dit niet aankan, dat de situatie me boven het hoofd is gegroeid, het volgende moment ben ik er echter van overtuigd van ik Herman niet kwijt wil."
"Hermien."
Paulien zuchtte.
"Oké, Hermien. Het is zo verwarrend."
"Je wilt Herman niet verliezen, maar je zou Hermien het liefst een schop onder haar kont verkopen," probeerde Loes de gevoelens van Paulien te analyseren.
"Daar komt het wel een beetje op neer, ja," grinnikte Paulien. "Jij weet het altijd zo treffend uit te drukken."
"Herman bestaat niet meer."
"Dat zegt hij zelf ook, maar dat is zo moeilijk te accepteren. Het klopt ook niet. Herman bestaat nog wel degelijk, onder die jurk en die make-up. Zijn wezen is niet veranderd."
"Nou, dat vraag ik me af." Loes staarde over de schuimende zee. "Iedere ervaring, positief of negatief, verandert en vormt een mens. Het leven van Herman ondergaat momenteel een omslag van honderdtachtig graden, ik kan me niet voorstellen dat hij daarbij dezelfde persoon blijft. Hij zal harder worden door kritiek uit zijn omgeving en hij zal zich meer egoïstisch gaan opstellen om zichzelf te kunnen handhaven."
"Dus eigenlijk vind jij dat ik er beter een punt achter kan zetten?" begreep Paulien.
"Dat heb ik niet gezegd. De enige die dat kan bepalen ben jijzelf. Ik denk wel dat je alle feiten onder ogen moet zien en niet alleen maar naar je gevoel moet handelen."

“Wist ik maar wat ik voelde.” Paulien lachte bitter. “Dat is momenteel zo’n zooitje.”
“Geef het de tijd,” adviseerde Loes haar. Ze rilde. “Wat denk je van een kop warme chocolademelk met slagroom? Ik ben verkleumd. Als we hier de trap opgaan komen we bij een restaurant uit. Die hebben vast wel hete chocomel. Misschien wel met een ferme scheut rum erin.”
“Dat laatste sla ik even over,” zei Paulien met een grimas. Haar hoofdpijn was nog steeds niet helemaal weggetrokken. Op een cracker na had ze ook nog niets gegeten, dus alcohol drinken was op dit moment niet het beste wat ze kon doen.
“Heb je een kater?” begreep Loes meteen. “Ik vond je er al zo bleekjes uitziet. Je hebt dus flink doorgehaald vannacht?”
“Wat ik vannacht gedaan heb wil jij niet weten,” zei Paulien wrang.
“O jawel.” Loes duwde haar het restaurant in, waar een weldadige warmte hen tegemoet kwam. Ze kozen voor een tafeltje voor het raam, met uitzicht op de duinen, maar veel aandacht voor het natuurschoon hadden ze niet. Ze zwegen tot de serveerster hun bestelling had gebracht. “Vertel op,” eiste Loes toen. “Wat heb je uitgespookt?”
“Nadat ik bij Herman weg ben gegaan, ben ik Frank tegen het lijf gelopen, mijn ex,” begon Paulien voorzichtig. Meer woorden had ze echter niet nodig. Loes staarde haar met grote ogen aan.
“O nee,” kreunde ze. “Dat heb je niet gedaan.”
“Ik ben bang van wel.” Paulien vouwde haar handen om de hete beker voor haar heen. Haar vingers waren ijskoud geworden, voelde ze nu pas. “En ik moet zeggen dat het helemaal niet ver-

keerd voelde op dat moment."
"En nu?"
"Nu heb ik helemaal geen flauw benul meer wat ik moet doen."
Loes bolde haar wangen en blies toen langzaam haar adem uit.
"Je maakt er wel een zooitje van."
"Dank je."
"Het was geen verwijt, slechts een constatering. "Was dit een eenmalig iets of…?"
"Frank wil me terug."
"Maar wat wil jij?"
"Daar krijg je weer hetzelfde antwoord op: ik weet het niet. Het klinkt wel heel verleidelijk."
"Frank is, volgens jouw eigen woorden, ruw, egoïstisch, bot en dominant."
Paulien knikte. "Klopt. Maar hij is geen vrouw."
Loes leunde achterover. Hier kon ze weinig op terug zeggen.
"Dump ze allebei en ga op zoek naar een leuke, ongecompliceerde man," zei ze zuchtend. "Echt Paulien, een ander advies kan ik niet meer bedenken."
"Frank met het karakter van Herman, dat zou helemaal perfect zijn."
"Perfectie bestaat niet, helaas. Maar wat vind je belangrijker: karakter of uiterlijk?"
"Karakter natuurlijk."
Loes nipte van de hete chocolademelk. Ze voelde de warmte door haar lichaam verspreiden, als een warme deken die over haar heen werd gelegd.
"In dat geval zou ik me nog twee keer bedenken voor ik weer met

Frank in zee ging."
"Dat ik uiterlijk niet het belangrijkste vind, wil niet zeggen dat ik opgewonden raak van iemand in een jurk met hooggehakte schoenen eronder, hoe lief hij ook is."
"Nogmaals, dat kan niemand je kwalijk nemen. Maar bel hem. Haar. Praat er samen over en als jullie er niet uit kunnen komen, sluit het dan tenminste op een goede manier af. Jullie zijn door zoveel heen gegaan samen."
Paulien knikte langzaam. Loes had gelijk. Maar bij de gedachte om de relatie met Herman te beëindigen leek het of er een kille hand om haar hart heen werd gelegd.

HOOFDSTUK 11

Er ging een week voorbij voordat Paulien haar telefoon pakte om Herman te bellen, een week waarin ze heen en weer werd geslingerd door verwarde gevoelens. Op het moment dat ze het nummer intoetste wist ze nog steeds niet wat ze moest doen of moest zeggen, maar ze vond dat ze het niet kon maken om nog langer niets van zich te laten horen.
"Met Hermien," klonk het in haar oor.
Paulien slikte. Zelfs zijn stem klonk ineens vrouwelijk. Hoe kon dat toch? Hoe kon een man zomaar ineens veranderen in een vrouw? Voor hemzelf was die transformatie geleidelijk gegaan, omdat hij al jaren had geweten dat er iets niet klopte. Voor haar was het echter als een donderslag bij heldere hemel gekomen en ze vroeg zich wanhopig af of ze er ooit aan zou wennen.
"Met mij," zei ze zacht.
"Paulien! Eindelijk! Ik ben zo blij dat je belt. Deze week duurde eindeloos."
"Ik kon het niet eerder aan."
"Dat begrijp ik toch, lieverd. In eerste instantie was ik boos omdat je weggelopen was, maar ik heb deze week ook tijd gehad om na te denken. Ik vraag teveel van je, daar ben ik me goed van bewust."
"Er verandert ineens zoveel, meer dan ik me gerealiseerd had," beaamde Paulien.
"Juist. En die veranderingen zijn voor mij alleen maar positief terwijl ze voor jou negatief zijn, dus zo vreemd is het niet dat dat met elkaar botst. Het is te snel gegaan voor jou, dat begrijp ik nu

wel. Er zat geen geleidelijke overgang in."
"Precies," zei Paulien, verrast dat Hermien dat zo goed zag. Maar Herman was altijd al zo begripvol geweest, herinnerde ze zich. Ook als man. Dergelijke karaktereigenschappen verdwenen natuurlijk niet.
"Jij bent voor mij eigenlijk twee personen," probeerde ze uit te leggen. "Herman en Hermien. In gedachten noem ik je de ene keer Herman, de andere keer Hermien."
Even viel er een stilte aan de andere kant van de lijn.
"Herman is er niet meer," zei Hermien toen. "Die moet je vergeten, uitbannen. Ik ben maar één persoon, één vrouw. Hermien. Op het lichamelijke aspect na is mijn transformatie compleet. Ik ben een vrouw. Ik wil ook absoluut geen man meer zijn, geen seconde."
"Ik kan niet zomaar doen alsof Herman nooit bestaan heeft," wierp Paulien tegen.
"Hij is in ieder geval weg, verdwenen. Je zult het met Hermien moeten doen."
Weer viel er een stilte, nog langer deze keer.
"Ik weet niet of ik dat kan," zei Paulien daarna moeizaam. "Het spijt me. Ik vind mezelf een slappeling en heb het gevoel dat ik je in de steek laat, maar ik vind dit heel moeilijk."
"Je hoeft jezelf niets te verwijten. Het is mijn schuld dat ik je hierin heb meegetrokken. Ik had meteen je uitnodiging om te gaan stappen moeten afketsen. Tenslotte zat ik toen al midden in het hele proces van acceptatie. Ik had nooit iets met je mogen beginnen," zei Hermien eerlijk.
Onwillekeurig moest Paulien even lachen. "Ik gaf je niet veel

kans om te weigeren," herinnerde ze zich. "Ik heb me bijna letterlijk in je armen geworpen."
"Wat ik totaal niet erg vond. Ach Paulien, het had zo mooi kunnen zijn." Hermiens stem klonk weemoedig. "Even leek het of wij voor elkaar gemaakt waren, maar de natuur heeft roet in het eten gegooid. Wellicht is het gewoon het beste om dat te accepteren en ieder onze eigen weg te gaan."
"Nee!" Paulien werd overvallen door pure paniek bij deze woorden, hoewel ze dit zelf ook al een paar keer had bedacht de afgelopen week. Nu het uitgesproken werd klonk het echter zo hard, zo definitief. In ieder geval klonk het als iets wat ze niet wilde. Ondanks alles leken er nog steeds duizenden draden tussen hen te zijn die hen verbonden. "Ik wil je niet kwijt."
"Maar je wilt ook geen relatie met een vrouw."
"Dat weet ik niet. Dat is iets waar ik nooit bij stil heb gestaan."
"Lieve schat, zeg eens heel eerlijk; wil jij onvoorwaardelijk voor mij gaan, met alles wat bij mij hoort? Durf jij me overal voor te stellen als je partner voor het leven?"
Het duurde even voor Paulien antwoord op deze vragen kon geven, waardoor Hermien genoeg wist.
"Nee dus," zei ze zelf al. "Dat dacht ik al."
"Het spijt me," zei Paulien opnieuw kleintjes.
"Daar hoef je je niet voor te verontschuldigen."
"Toen je me vertelde wat er aan de hand was heb ik je beloofd dat ik je door dik en dun zou steunen. Het voelt nu alsof ik gefaald heb."
"Dat is onzin, schat. Je hebt het in ieder geval geprobeerd, dat is al heel wat. Ik weet dat je me niet veroordeelt voor wie ik ben,

zoals zoveel andere mensen wel doen. Maar het is nu eenmaal verschrikkelijk moeilijk, voor ons allebei. Laten we het voorlopig even op zijn beloop laten," stelde Hermien voor.
"Wat bedoel je daarmee?"
"Precies wat ik zeg. We blijven elkaar zien en spreken, maar zonder de druk van een relatie. Gewoon vriendschappelijk. Dan zien we vanzelf wel of er meer uit groeit of niet. Voor mezelf ben ik er heel zeker van dat ik van je hou en de rest van mijn leven met jou door wil brengen, maar ik begrijp dat jij meer tijd nodig hebt."
"Dan worden we dus vriendinnen."
"Een soort van. Vriendschap met hoop op meer. Probeer het hele idee van lesbisch of hetero los te laten en kijk of je verliefd op me kunt worden als persoon, niet als vrouw."
Paulien dacht hier over na. Op zich klonk dit heel aantrekkelijk, want ze wilde Hermien zeker niet kwijt. Op deze manier konden ze het een kans geven, zonder druk en zonder verplichtingen. Maar er speelde meer waar ze mee zat. Als ze een eventuele vriendschap met uitzicht op meer een kans wilde geven, moest ze eerlijk opbiechten wat er met Frank gebeurd was. Als ze begonnen met een dergelijk zwaar geheim tussen hen in was het bij voorbaat al gedoemd te mislukken.
"Ik wil je heel graag in mijn leven houden, ongeacht wat er nog staat te gebeuren tussen ons, maar er is nog iets, Hermien." Het viel haar zelf niet eens op hoe vanzelfsprekend ze Herman ineens bij zijn nieuwe naam noemde. Hermien hoorde het wel en het stemde haar blij. Die blijdschap verdween echter meteen bij het aanhoren van Pauliens bekentenis. Met gesloten ogen luisterde ze naar het relaas van de ontmoeting met Frank. "Hij wil me terug,"

eindigde Paulien haar verhaal.
"Maar wat wil jij?" dwong Hermien zichzelf te vragen. Het liefst zou ze nu naar Paulien toe snellen om haar ervan te overtuigen dat ze nooit meer met die macho in zee moest gaan en dat ze bij haar, Hermien, moest blijven. Dwang was echter het laatste wat Paulien nu kon gebruiken. Waarschijnlijk zou dat ook alleen averechts werken.
Paulien zuchtte diep. Als ik dat zou weten zou mijn leven er heel anders uitzien," reageerde ze wrang.
"Forceer niets, geef het tijd," adviseerde Hermien, net zoals Loes eerder deze week had gezegd. Ze liet niet merken hoeveel pijn Pauliens bekentenis gedaan had, al kon ze wel begrip voor haar opbrengen. "Je komt er vanzelf achter bij wie je wilt zijn." Bij mij! Bij mij, schreeuwde haar hart. Die woorden kwamen echter niet over haar lippen. Ze kon alleen maar hopen dat Paulien zelf tot dat besef zou komen. In ieder geval was hun contact niet helemaal verbroken en daar was ze blij om. Vriendschap was beter dan helemaal niets en wie weet wat de toekomst nog zou brengen. Ze zou de hoop nooit helemaal opgeven, daarvoor hield ze teveel van Paulien.
"Heb je zin om morgenavond bij me te komen eten?" stelde ze voorzichtig voor. "Dan maak ik die macaronischotel die jij zo lekker vindt."
"Om me om te kopen?" plaagde Paulien.
"De liefde van de vrouw gaat door de maag," reageerde Hermien ad rem.
Paulien beet op haar onderlip, iets wat Hermien door de telefoon niet kon zien. Het woord 'liefde' in combinatie met Hermien

vond ze erg vreemd, zelfs al zat het lichaam van Herman nog onder die nieuwe kleding verborgen.
"Is goed," antwoordde ze uiteindelijk. "Maar dan als vriendinnen, niet als partners."
"We forceren niets," beloofde Hermien haar. "Als wij, ondanks alles, voor elkaar bestemd zijn, komt dat er vanzelf wel een keer uit."
Paulien verbrak de verbinding en staarde peinzend voor zich uit. Ze vroeg zich af of dit zou lukken, gewoon bevriend zijn met Hermien. Ze hadden zoveel meegemaakt samen, ook al heette Hermien toen nog Herman. Hun gevoelens voor elkaar hadden weinig met vriendschap te maken. Aan de andere kant kon ze zichzelf ook niet voorstellen als Hermiens levenspartner. Hermien was een vrouw. Wat dat betrof bleef ze maar in hetzelfde kringetje ronddraaien. Er was maar één ding waar ze heel zeker van was: ze wilde Herman terug. Maar juist dat was onmogelijk. Herman was voorgoed verdwenen. Paulien wist dat, toch was ze bang dat ze nog jarenlang naar sporen van Herman zou zoeken in Hermien. Hij moest er nog zitten, dat kon niet anders, al beweerde Hermien dan dat Herman weg was. Het feit dat Hermien niet eens meer herinnerd wilde worden aan haar leven als Herman, voelde voor Paulien enigszins aan als verraad. Tenslotte was ze Herman geweest op het moment dat zij, Paulien, in zijn leven verscheen. Haar binnenste was zo'n puinhoop dat ze zich afvroeg of ze hier ooit nog wijs uit zou kunnen worden. Ze voelde zich net een puzzel die verkeerd in elkaar was gelegd. Als ze Loes niet had om over haar gevoelens te praten, was ze waarschijnlijk hartstikke gek geworden. Voor de rest was er niemand op de wereld

bij wie ze zich kon uiten. Het sporadische contact wat ze met haar familieleden had nodigde niet uit tot gesprekken over zo'n gevoelig onderwerp. Andere vriendinnen waren er niet. De mensen om haar heen wisten wat er speelde, maar veel steun kreeg ze daar niet van. Victoria toonde nog steeds openlijk haar afkeer. Sinds die bewuste avond had Paulien haar alleen nog in het ziekenhuis gezien, maar praten deden ze niet meer met elkaar. Irene groette haar wel als ze elkaar tegenkwamen, maar daar bleef het bij. De enige die wel eens bij Paulien informeerde hoe het ging, was Regina, het hoofd van de kraamafdeling. Zij was altijd oprecht belangstellend en wars van vooroordelen, maar Paulien kende haar niet goed genoeg om dit soort intieme zaken mee te bespreken, zodat het slechts bij het uitwisselen van feiten bleef. Haar mobiel rinkelde en zonder op het scherm te kijken nam ze op.
"Hé schat," klonk de stem van Frank in haar oor. "Je hebt dus inderdaad nog hetzelfde nummer, daar hoopte ik al op."
Paulien kon niet ontkennen dat het prettig was om zijn stem te horen, hoewel de terugkeer van Frank in haar leven dit hele verhaal nog complexer maakte. De timing had niet slechter kunnen zijn.
"Ik heb veel aan je gedacht de laatste week," zei hij. "Wat denk je van een drankje morgenavond? Daarna zien we dan wel wat we gaan doen. We kunnen vast wel iets leuks verzinnen." Er lag een dubbelzinnige klank in zijn stem en Paulien kon zich levendig voorstellen wat hij met dat 'iets leuks' bedoelde. Het klonk niet eens zo heel slecht, moest ze zichzelf toegeven. Al was die nacht met Frank niet het verstandigste geweest wat ze had kunnen doen.
"Ik kan morgenavond niet," antwoordde ze. Ze kon niet verhinderen dat haar stem licht teleurgesteld klonk, iets wat Frank niet

ontging.
"Zolang je geen afspraak met de koningin hebt, kun je het vast afzeggen," zei hij zelfverzekerd.
"Je kent me goed genoeg om te weten dat ik dat niet doe. Afspraak is afspraak."
"Ga ik niet voor dan? We hebben heel wat bij te praten."
Onwillekeurig schoot Paulien in de lach.
"Alsof jij wilt praten," zei ze. "Daar bel je vast niet voor."
"Oké, je hebt me door. Maar je kunt me niet wijsmaken dat jij ook niet verlangt naar een paar uurtjes plezier. Zeker met dat mietje wat je als vriend hebt. Ga je soms naar hem toe?"
"Naar haar," verbeterde Paulien hem automatisch. "Herman heet tegenwoordig Hermien."
"In dat geval kun je zeker beter bij mij zijn," zei hij. "Wat moet je daar mee? Bij mij ben je veel beter af dan bij zo'n freak."
"Hermien is geen freak," schoot Paulien fel uit haar slof. "Ze is een lieve, gevoelige vrouw die het ontzettend moeilijk heeft momenteel. Het is niet niks om toe te moeten geven dat je geboren bent in een verkeerd lichaam. Haar hele leven staat op zijn kop."
"Dat zal best, maar ik blijf het vreemd vinden. Ze kan beter naar een goede psychiater gaan dan naar een plastisch chirurg," bromde Frank. "Nou, wat doe je? Kom je wel of niet?"
"Nee," antwoordde ze. Haar maag maakte echter een vreemde buiteling, alsof haar lichaam protesteerde tegen deze afwijzing. "Ik ga bij Hermien eten."
"Overmorgen dan?" drong hij aan. "Je wilt het, dat weet je."
"Ik weet het niet, ik bel je nog wel," maakte Paulien zich er snel van af.

Het vleide haar dat Frank zo aandrong. Hij had haar blijkbaar echt gemist. Zou het niet veel makkelijker zijn om gewoon naar hem terug te gaan en de hele episode met Herman/Hermien achter haar te laten? Vast wel, maar of het ook beter zou voelen? Onbewust schudde ze haar hoofd. Ze was het aan Herman verplicht om Hermien een kans te geven, hoe bizar deze zin ook in haar eigen oren klonk.
De volgende dag ging ze met lood in haar schoenen naar haar toe. Ze zag er tegenop om Herman weer als Hermien te zien. Ze kon zich niet voorstellen dat dit ooit zou wennen.
"Fijn dat je er bent," zei Hermien hartelijk. "Kom binnen."
Enigszins schutterig stonden ze tegenover elkaar in het kleine halletje. Normaal gesproken zoenden ze elkaar ter begroeting, nu wist Paulien niet goed wat ze moest doen. De vertrouwde mond van Herman was weg, de rood gestifte lippen van Hermien waren er voor in de plaats gekomen.
"Eh, hoi," hakkelde Paulien. Ze keek alle kanten op, behalve naar Hermiens gezicht.
"Het eten is bijna klaar. Wil je iets drinken?" vroeg Hermien beleefd.
"Bitter lemon graag."
"Geen wijntje?"
"Liever niet. Ik heb gisteren een halve fles rode wijn soldaat gemaakt omdat die open stond en ik het niet over mijn hart kon verkrijgen om het weg te gooien. Laat ik vandaag dus maar een beetje oppassen," lachte Paulien gemaakt. Ze verzweeg dat ze liever helder wilde blijven. Het laatste wat ze wilde was met een dronken hoofd bij Hermien in bed belanden, zoals haar een week

eerder met Frank overkomen was. Als ze ooit besloot met Hermien te vrijen, moest dat een bewuste, weloverdachte keuze zijn en geen aktie waar ze zich later nog maar amper iets van kon herinneren.
Ze keek naar Hermien zoals ze in de keuken bezig was met het volschenken van de glazen en ze probeerde zich hen samen in bed voor te stellen. Het klonk niet eens zo heel afschrikwekkend. Ze werd in ieder geval niet misselijk bij het denkbeeld, al voelde ze ook geen aanvechting om haar onmiddellijk te bespringen.
Tijdens het eten werden er slechts beleefdheden uitgewisseld. Paulien informeerde of Hermien al vorderingen maakte bij het vinden van een parttimebaan en Hermien vroeg hoe het in het ziekenhuis ging. Later zaten ze ongemakkelijk tegenover elkaar in Hermiens gezellige zithoek.
"Hoe gaat het met je ouders?" wilde Paulien weten.
Hermien zette haar lege koffiebeker met een klap op de salontafel.
"Is dit hoe het voortaan zal gaan?" vroeg ze ronduit. "Beleefde gesprekjes voeren, zoals twee oude kennissen die elkaar na jaren weer eens tegenkomen? Daar heb ik geen zin in, Paulien."
"Wat had je dan verwacht?" vroeg die zich hardop af.
"Ik wil echt met je praten, zoals we dat altijd gedaan hebben."
"Wij hebben nog nooit samen gepraat," zei Paulien daarop. "Ik had fijne gesprekken met Herman, niet met jou. Jij bent een vreemde voor me."
Hermien verbleekte. "Zie je me zo?"
"Dat klonk misschien een beetje cru. Maar zo voelt het wel voor me," probeerde Paulien uit te leggen. "Ik moet jou nog als Her-

mien leren kennen."
"Dat zal nooit gebeuren als onze gesprekken op dit niveau blijven steken."
"Ik weet niet goed waar ik met je over moet praten," zei Paulien eerlijk. "Over vroeger wil je het niet hebben terwijl ik daar juist voortdurend mee bezig ben. Ik kan jou nog niet los zien van Herman. Jullie zijn één persoon en dat maakt het juist zo moeilijk. Ik zit me af te vragen of ik met een vrouwelijke Herman of een mannelijke Hermien praat."
"Volgens mij begrijp jij nog steeds niet hoe het echt zit. Er is geen Herman, net zoals er geen mannelijke Hermien bestaat. Ik ben een vrouw. Niet pas sinds kort, maar al mijn hele leven."
"Voor mij niet."
"Misschien was het toch teveel gevraagd van je om dit proces samen met mij te doorstaan," zei Hermien strak.
"Ik heb je leren kennen als man, ik ben van je gaan houden als man. Dat jij je in die tijd al vrouw voelde wist ik niet. Had het maar meteen gezegd."
"Anders had je je vast nog wel een paar keer bedacht voor je een relatie met me begon."
"Dat weet ik niet. De aantrekkingskracht tussen ons was te groot om er weerstand aan te bieden."
"Dus als ik bij onze eerste ontmoeting al had gezegd dat ik eigenlijk een vrouw ben, was je toch met me verder gegaan?" begreep Hermien hieruit. "Waarom kan je dat nu dan niet? Kun je niet gewoon van me houden als persoon?" Ze keek Paulien gespannen aan.
"Zover ben ik nog niet." Ze keek in Hermiens warme, bruine

ogen. De ogen waar ze destijds verliefd op was geworden. Ineens stroomde er een warm gevoel door haar lichaam heen. Die ogen waren haar zo vertrouwd. "Maar er wordt aan gewerkt," voegde ze er met een glimlach aan toe.
"Dat is al meer dan ik had durven hopen," zei Hermien zacht.
Ze glimlachten naar elkaar en heel even leek er een vonkje over te springen. De vonk die Paulien bij de eerste ontmoeting met Herman ook had gevoeld. Het voelde goed, ontdekte ze. Al bleef het vreemd om een dergelijke ervaring met een vrouw te beleven.

HOOFDSTUK 12

De goede voornemens bleken in de praktijk echter moeilijk uitvoerbaar te zijn. Hoezeer Paulien haar best ook deed, ze kon Hermien niet als een gewone vriendin zien, zoals bijvoorbeeld Loes. Aan de andere kant kon ze haar ook niet accepteren als partner. Steeds als ze samen waren bekroop haar het verlangen om in haar armen weg te kruipen en haar te zoenen, maar bij die gedachten brak het zweet haar bij voorbaat al uit. Zoenen met een vrouw? Die stap kon ze nog steeds niet nemen. Hermien had geen last van dergelijke angstgevoelens. Zij wilde niets liever dan met Paulien vrijen, maar liet dat niet merken. Ze wilde Paulien nergens mee overvallen en haar zeker nergens toe dwingen. Beiden deden ze hun best om een zo normaal mogelijke vriendschap te onderhouden, maar echt lukken deed dat niet. Er bleef iets tussen hen in hangen wat hen belette volkomen vrij met elkaar te praten. Als extra complexe factor was daar ook nog Frank, die Paulien bestookte met telefoontjes. Ze was inmiddels een paar keer met hem uit geweest, avonden die steeds in bed eindigden. Hoewel ze niet van hem hield zoals ze van Herman had gehouden, waren dat prettige uurtjes. Frank wist haar af te leiden van de verwarring rondom Hermien en dat was Paulien zeer welkom. Tegelijkertijd voelde ze zich schuldig naar Hermien toe. Het voelde toch een beetje alsof ze haar bedroog.

Al met al zat ze danig met zichzelf in de knoop en dat werd er niet beter op toen ze op een dag ontdekte dat ze zwanger was. Vol ongeloof staarde ze naar de test in haar handen, die onomstotelijk aantoonde dat er nieuw leven in haar lichaam groeide. Ook

dat nog! Ze vloekte hardop in haar stille badkamertje. De tekenen hadden er op gewezen, maar ze had zichzelf voorgehouden dat die voortkwamen uit stress. Ze had momenteel zoveel aan haar hoofd en er was zoveel onzekerheid in haar leven dat ze alle symptomen daarop geschoven had. De zwangerschapstest had ze vooral gekocht om zichzelf gerust te stellen.
Nou, dat was dus niet gelukt, dacht ze met galghumor. Ze was wel degelijk zwanger, al had ze dat nog zo hard ontkend. Het kind moest van Frank zijn, dat kon niet anders. Paulien sloot haar ogen en leunde tegen de wastafel aan, bang om ter plekke flauw te vallen. Alsof alles nog niet gecompliceerd genoeg was! Wat moest ze hier nu weer mee aan? Frank zat toch al zo aan haar te trekken, dat zou er niet beter op worden als hij dit eenmaal wist.
'Je kunt mijn kind onmogelijk bij dat monster op laten groeien.' Ze hoorde hem deze woorden gewoonweg zeggen. Maar wilde ze dat dan? Was ze in gedachten werkelijk bezig met een toekomst voor haar en Hermien samen? Paulien zuchtte diep. Wist ze het maar! Ze kwam echt geen wijs meer uit haar eigen gevoelens. Zou liefde juist niet iets simpels moeten zijn? Nou, dat gold voor haar in ieder geval niet. Hoewel ze worstelde met haar gevoelens voor Hermien, bij wie ze stiekem nog steeds naar trekjes van Herman zocht, maakte ook Frank oude gevoelens in haar los. Als hij bij haar was nam dezelfde verliefdheid als vroeger bezit van haar, die echter ook weer meteen verdween als hij niet in de buurt was. Loes had haar al gezegd dat ze Frank gebruikte als vlucht. Steeds als ze even niet na wilde denken over haar relatie met Hermien, zocht ze Frank op. Hij zorgde er wel voor dat haar gedachten een hele andere kant op gingen.

Ze belde Loes, die meteen naar haar toekwam toen ze hoorde wat er aan de hand was.
"Zwanger dus," zei ze bedachtzaam. "Van Frank?"
"Dat moet wel. Herman is onvruchtbaar, dat heeft hij toen zelf gezegd, nog voordat hij met zijn bekentenis kwam dat hij vrouw is." Paulien ijsbeerde door haar kamer. "Wat moet ik nu?"
"Het is misschien een rare vraag op dit moment, maar ben je er blij mee?" vroeg Loes vorsend.
Paulien staakte het rusteloze heen en weer geloop. Ze keek Loes aan alsof ze haar voor het eerst zag.
"Blij?" echode ze. "Daar heb ik nog helemaal niet bij stil gestaan."
"Dan wordt dat tijd," meende Loes laconiek. "Ik weet niet hoe ver je precies bent, maar nu kun je wellicht nog beslissingen nemen die straks niet meer aan de orde zijn. Dan moet je wel weten wat je wilt."
"Een abortus, bedoel je?" Paulien schudde resoluut haar hoofd. "Dat nooit."
"Mooi, dan hoef je daar tenminste niet over te piekeren." Loes glimlachte. Eigenlijk had ze niet anders verwacht. "Dan het volgende punt. Je zult het aan Frank moeten vertellen."
"Eerst Hermien. Ik vind wel dat ze daar recht op heeft na alles. Ik ga morgen naar haar toe," besloot Paulien. Ze omhelsde Loes met tranen in haar ogen. "Dank je wel."
"Ik heb niets gedaan," reageerde die verbaasd.
"Je bent er, dat is het belangrijkste," zei Paulien simpel.
Zo'n vriendschap als ze met Loes had, zou ze met Hermien ook wel willen hebben. Toen die nog Herman heette leek hun relatie

daar op, tegenwoordig was daar echter weinig meer van over. De sfeer tussen hen was vaak gespannen, iets wat de dag daarna weer duidelijk tot uiting kwam. Ze zaten tegenover elkaar, zoekend naar gespreksonderwerpen. Het makkelijke praten wat hun relatie vroeger gekenmerkt had, was totaal verdwenen. Ondanks dat ze erg hun best deden kwamen ze soms niet eens verder dan het weer als gespreksonderwerp, als een stel willekeurige vreemden bij een bushalte. Paulien wist niet hoe ze het precaire onderwerp van haar zwangerschap ter sprake moest brengen. Nadat ze een tijdje naar woorden had gezocht, gooide ze het er bij de tweede kop koffie in één keer uit.

"Ik ben zwanger. Van Frank," voegde ze daar snel aan toe voordat Hermien kon denken dat er nog meer kandidaten waren die voor de titel vader in aanmerking konden komen.

Hermiens gezicht verbleekte.

"Weet je dat heel zeker?" vroeg ze.

"Natuurlijk. Andere mannen die in aanmerking komen zijn er niet," antwoordde Paulien vinniger dan ze bedoelde.

Hermien slikte hoorbaar.

"Dit nieuws overvalt me nogal," bekende ze. "En nu? Wat ga je doen? Laat je de baby komen?"

"Natuurlijk," zei Paulien voor de tweede keer. "Het zal niet altijd makkelijk worden, maar dat wil niet zeggen dat de baby niet welkom is bij me."

"En bij Frank? Hoe reageerde hij?"

"Hij weet het nog niet. Ik wilde het eerst aan jou vertellen."

"Moet ik me daar gevleid door voelen?" Hermien stond op en liep heen en weer door haar kamer. Haar gezicht stond verbeten.

"Ik hou van je, dat weet je. Wat verwacht je nu van me?"
"Ik hoop dat jij me wilt helpen met alles wat me te wachten staat," zei Paulien zacht. "Als vriendin. Zoals Loes er voor me is."
Hermien beet op haar lip. Ze wilde geen vriendin als Loes zijn, ze wilde veel meer. Ze begreep echter dat ze daar nu niet mee aan kon komen.
"Ga maar naar Frank," zei ze afwerend. "Hij is de aangewezen persoon om je hierbij te helpen. Ik hoop dat jullie heel gelukkig worden samen."
"Ik heb geen relatie met Frank."
"Werkelijk niet?" Hermien keek haar sceptisch aan. "Dan weet je toch een prima imitatie te geven. Je bent zwanger van hem."
"Ik ben een paar keer met hem naar bed geweest. Dat weet je, daar heb ik nooit stiekem over gedaan. Maar ik hou niet van hem. Niet zoals..." Ze stokte en Hermien voelde haar hart opspringen van hoop. Met alles wat in haar was hoopte ze dat Paulien deze zin zou vervolgen met de woorden: 'niet zoals ik van jou hou.'
"Niet zoals ik van Herman heb gehouden," zei Paulien echter met tranen in haar ogen.
"Waarom ben je dan wel met hem naar bed geweest?" vroeg Hermien bijna onhoorbaar.
Paulien schokte met haar schouders.
"Wil je een eerlijk antwoord? Ik weet het niet. Als we samen waren leek het een beetje op vroeger, voordat we zoveel ruzies kregen dat onze relatie eraan onderdoor ging. Als ik hem niet zie, denk ik echter amper aan hem. Volgens Loes gebruik ik Frank als vluchtweg als alles me teveel dreigt te worden. Hij geeft me wat jij me niet langer kan geven."

Hermien wendde haar gezicht af.
"Wat een rotopmerking."
"Zo was het niet bedoeld. Ik probeer mijn gevoelens onder woorden te brengen. Het was geen verwijt."
"Zo klonk het wel. Ik weet niet wat ik hiermee aan moet, Paulien. Je weet hoeveel problemen ik zelf heb en nu kom jij me doodleuk vertellen dat je zwanger bent van een ander en je verwacht ook nog mijn hulp. Dat is nogal wat."
"Als we echt vriendinnen willen zijn moeten we elkaar helpen wanneer dat nodig is."
"Ik moet dit even laten bezinken. Nog koffie?"
Zonder op antwoord te wachten pakte Hermien de koffiekopjes van tafel en verdween ermee in de keuken. Daar leunde ze tegen het aanrecht, met moeite een golf van misselijkheid onderdrukkend. Ondanks hun moeilijke omgang had ze al die tijd goede hoop gehad dat Paulien alsnog een liefdesrelatie met haar zou willen, als ze daar eenmaal aan toe was. Als ze haar vooroordelen over de vrouwenliefde maar opzij zou kunnen zetten. En nu zat ze zwanger in haar huiskamer. Zwanger van een macho, zoveel had ze wel begrepen uit Pauliens verhalen over Frank. Het tegenovergestelde van wat Herman was geweest. Hermien kon haar tranen niet langer bedwingen. In een theedoek, zodat Paulien het in de huiskamer niet kon horen, snikte ze haar verdriet en haar onmacht eruit.
Paulien leek altijd maar te denken dat de transformatie van man naar vrouw haar heel makkelijk en natuurlijk afging, alsof ze geen enkel probleem had. Hoewel ze van haar nieuwe status genoot en het gevoel had dat ze eindelijk zichzelf was, lag haar hele

leven echter overhoop. Het was moeilijk om opnieuw te beginnen en van nul af een heel leven op te moeten bouwen. Ze moest opboksen tegen de bureaucratie en de juridische regels die aan dit soort gevallen werden gesteld. Daarbij kwamen ook nog eens de veelal negatieve reacties uit haar omgeving en de moeizaam geworden relatie met veel van haar familieleden. Bij dit alles kon ze de problemen van Paulien ook niet nog eens op haar schouders nemen. Dat werd haar teveel. Ze had al haar kracht en energie nodig om haar eigen leven nieuwe vorm te geven.
"Het spijt me," zei ze later dan ook. Ze was zonder de koffiekopjes teruggekeerd in de huiskamer, maar dat merkten ze geen van beiden op. "Ik kan jouw zorgen niet op me nemen, Paulien. Daarvoor heb ik er zelf veel te veel. Ik heb zelf momenteel hard wat steun nodig en die hoopte ik bij jou te kunnen vinden. Vriendinnen moeten elkaar helpen, dat zei je net zelf."
"Ik denk niet dat ik daar de aangewezen persoon voor ben," zei Paulien. Net als bij Hermien even daarvoor schoten de tranen in haar ogen. Het was hen ineens allebei heel duidelijk welke kant dit gesprek op ging en ze leken beiden niet bij machte dat tij te keren, hoe graag ze dat ook wilden. "Ik heb de hele toestand nog niet verwerkt en zolang dat niet het geval is kan ik jou er niet bij helpen, hoe erg ik dat ook vind. Mijn zwangerschap gaat nu trouwens voor."
"Ik heb jarenlang het leven geleid zoals door anderen van me verwacht werd. Ik moet nu voor mezelf kiezen, anders is het te laat," fluisterde Hermien geëmotioneerd. "Ik heb al mijn energie nu voor mezelf nodig. Je hebt geen idee hoe moeilijk het voor me is."
"Moeilijk?" Paulien trok haar wenkbrauwen hoog op. "Dit is wat

je wilde. Je bent er blij mee, dat zeg je regelmatig."
"Dat doet aan de problemen niets af. Probeer je eens in mijn situatie te verplaatsen. Ik ben vrouw, maar word door alle instanties nog steeds als man gezien. De wet verplicht me om me als vrouw te profileren, maar toen ik vorige week mijn rijbewijs ging vernieuwen werd ik bekeken als een rariteit. Mijn ziekte, of aandoening, hoe je het ook wilt noemen, wordt door de maatschappij niet geaccepteerd. Ik word overal met de nek aangekeken, mensen lachen me achter mijn rug uit en er wordt over me geroddeld. Sommige noemen me een freak, een misbaksel. Ik durf 's avonds niet eens over straat uit angst dat ik in elkaar geslagen wordt door groepen jongeren die er een sport van maken om iedereen te mishandelen die niet in het geijkte plaatje past. Veel familieleden van me mijden me sinds het bekend is geworden. Anderen menen het recht te hebben me te mogen zeggen dat ik me niet aan moet stellen en me normaal moet gedragen. Je hebt geen idee hoe mijn leven op dit moment is."
"Hier heb ik inderdaad nooit bij stilgestaan," moest Paulien bekennen. "Jij laat het altijd voor komen alsof je een knop hebt omgedraaid en vrouw bent geworden."
"Was het maar zo simpel," zei Hermien bitter. "Ik heb nog een hele lange weg te gaan voordat het officieel is en dan nog zal ik niet overal geaccepteerd worden, dat weet ik van tevoren. Ik zal altijd een bezienswaardigheid blijven in de ogen van veel mensen. Het omdraaien van die knop, zoals jij het noemt, heeft overigens ook jaren geduurd. Ik wilde hem nooit omdraaien, maar op een gegeven moment had ik geen keus meer. Jij bagatelliseert dat."
"Dat is geen onwil, maar onwetendheid."

"Niet helemaal. Je was zo met je eigen emoties bezig dat je je niet echt hebt verdiept in wat het voor mij betekende om hiermee naar buiten te treden. Dat is overigens ook geen verwijt, maar een constatering. We hebben het er allebei moeilijk mee."
"Met als gevolg dat we dus niets voor elkaar kunnen betekenen," constateerde Paulien schor. "Juist nu we allebei in omstandigheden verkeren waarin we heel hard een schouder nodig hebben om op te leunen. Dat is niet echt wat je noemt een goede vriendschap, hè?"
"Nee." Hermien schudde haar hoofd, al was het met pijn in haar hart. "Vriendschap werkt niet tussen ons, al hebben we dat tot nu toe nog niet openlijk toe durven geven. Ik heb trouwens nooit naar jouw vriendschap verlangt. Ik wilde meer. Veel meer. Jij misschien ook wel, maar daar durfde je niet voor uit te komen. Dat geeft ook niet, want zoiets heeft tijd nodig, maar die tijd is er nu niet meer. Onder deze omstandigheden denk ik dat het beter is dat we allebei onze eigen weg inslaan. We hebben allebei het nodige te verwerken en op te lossen. Als we dat samen proberen te doen, denk ik dat we elkaar alleen maar naar beneden halen in plaats van opbeuren."
Paulien knikte stom. Het huilen stond haar nader dan het lachen. Ze wilde Hermien niet kwijt. Hermien was het laatste draadje naar de Herman waar ze zoveel van had gehouden. Waar ze nog steeds van hield. Krampachtig een niet bestaande vriendschap in stand proberen te houden terwijl ze niets voor elkaar konden doen, had echter ook geen nut, dat realiseerde ze zich heel goed. Met moeite stond ze op.
"Dit was het dus? Het einde van ons?"

“Dat lijkt me het beste, ja,” bevestigde Hermien. “Ach lieve schat, ik zal je zo missen.”
Ze strekte haar armen naar Paulien uit. Voor het eerst sinds Hermien als vrouw door het leven ging, omhelsde Paulien haar zonder enige terughoudendheid. Ze klampte zich bijna aan haar vast.
“Moet het echt?” snikte ze. Ze kon zich niet langer inhouden. Ze verborg haar hoofd tegen Hermiens schouder. Tot haar eigen verbazing merkte ze dat dit goed voelde. Beter dan ze had verwacht. Hermien, die min of meer een vreemde voor haar was geweest sinds ze geen Herman meer was, voelde plotseling heel vertrouwd aan.
Hermien streelde teder door Pauliens haren. Het kostte haar moeite om haar zelfbeheersing te bewaren. Misschien dat ze Paulien over de streep kon trekken als ze haar nu zou zoenen, schoot het even door haar hoofd heen. Maar dat zou niet eerlijk zijn, daar was Paulien op dit moment veel te kwetsbaar voor. Bovendien was dat een overwinning die ze niet wilde. Het moest van Paulien zelf uitkomen, zonder druk van haar kant. Alleen dan kon het echt goed worden.
“Jij gaat je kindje krijgen en ik ga helemaal vrouw worden, voor de volle honderd procent. We hebben allebei onze kracht hard nodig de komende tijd. We moeten allebei naar ons eigen doel toewerken, los van elkaar,” zei ze zacht.
“Ik weet dat je gelijk hebt, maar het is hard. Het is ooit zo mooi begonnen tussen ons,” zei Paulien. Ze maakte zich los uit Hermiens armen en veegde de tranen van haar gezicht.
“Misschien eindigt het ooit ook nog eens heel mooi,” zei Hermien met een glimlach die haar bijzonder veel moeite kostte. Ze

geloofde haar eigen woorden niet. Daar durfde ze niet eens meer op te hopen, zeker niet nu Paulien het kind van Frank verwachtte. Ze ging er vanuit dat Paulien en Frank weer bij elkaar zouden komen en binnenkort dus een gezinnetje zouden vormen. Die gedachte deed haar meer pijn dan ze aan zichzelf toe wilde geven. Ze staarde Paulien door het raam van haar zitkamer na zolang ze haar kon zien. Een klein, eenzaam figuurtje tussen de vele andere mensen die door de straat liepen. Net zo eenzaam als ze zelf was. Pas toen Paulien om de hoek was verdwenen, barstte ze in huilen uit. Zelfs haar eigen spiegelbeeld kon haar dit keer niet troosten. Het was zo mooi dat ze eindelijk als zichzelf mocht en kon leven, maar de prijs die ze ervoor betaald had was bijzonder hoog. Toch was het dat waard, zei een klein stemmetje in haar hoofd. Hoeveel verdriet ze ook had vanwege dit afscheid, ze zou de tijd niet terug willen draaien. Zelfs het verlies van Paulien kon het geluksgevoel over haar nieuwe identiteit niet teniet doen. Als vrouw leven én daarbij Paulien aan haar zijde hebben als haar partner, was waarschijnlijk teveel gevraagd van het leven.

HOOFDSTUK 13

"Vandaag niet, Frank. Ik ben moe." Paulien sloot haar ogen en luisterde naar de tirade van Frank door haar telefoon. Hij wilde dat ze mee ging naar het voetbalveld, omdat hij een belangrijke wedstrijd moest spelen.
"We spelen tegen een club uit de eerste divisie," zei hij nogmaals, alsof dat haar over de streep zou trekken. Voetbal interesseerde haar helemaal niet. Ze was een paar keer meegegaan om naar hem te kijken omdat hij dat graag wilde, maar ze was niet van plan om iedere zondag aan zijn sport op te offeren. "Dat is uniek. Het is weliswaar vriendschappelijk, maar toch. Er zijn zelfs speciaal tribunes neergezet omdat ze zoveel publiek verwachten."
"Als er zoveel mensen komen zul je mij niet missen."
"Doe niet zo lullig, Paulien. Ik vind het fijn als je erbij bent, oké?" zei Frank narrig.
Het was heel wat voor hem om dat toe te geven, wist Paulien. Dergelijke uitspraken deed Frank niet snel, dat vond hij iets voor watjes. Hij was veel te macho om te laten merken dat hij haar belangrijk vond. Maar zelfs dat haalde haar niet over. Ze had een paar nachten slecht geslapen en voelde zich geradbraakt. Heel haar lichaam voelde zwaar en pijnlijk aan, ze was vaag misselijk en voelde hoofdpijn opkomen. Het enige wat ze wilde was met een goed boek op bed liggen en hopelijk een paar uur slapen. Op een propvolle tribune zitten was iets waar ze niet aan moest denken.
"Welk gedeelte van het woord 'nee' begrijp je niet?" vroeg ze dan ook vinniger dan ze bedoelde.

"Ach, barst," zei hij grof. "Dan ga ik wel alleen. Er zullen vast andere leuke vrouwen zijn, die wél belangstelling hebben."
"Doe wat je niet laten kunt. Succes," wenste ze nog voordat ze de verbinding verbrak.
Met een beker hete thee en een pak koekjes nestelde ze zich voor de tv. Ze had gisteravond haar favoriete serie opgenomen en wilde die nu kijken voordat ze terug naar bed ging. De beelden op het televisiescherm konden haar aandacht echter niet vasthouden. Haar gedachten dwaalden alle kanten op. Zelfs de koekjes, waar ze een onweerstaanbare trek in had gehad, lagen vergeten op de salontafel. Haar relatie met Frank ging weer dezelfde kant op als vroeger. Hij was overheersend en zij kwam daar tegen in opstand, met de nodige ruzies als gevolg. Diep in haar hart wist Paulien dat ze beter af was als ze alle banden met hem verbrak, maar dat kon ze niet. Ze was Herman én Hermien al kwijt, ze kon het niet aan om daar bovenop ook Frank nog eens te verliezen, zeker niet nu ze zwanger was. Dat wist hij overigens nog steeds niet. Paulien streelde over haar buik, die al aardig begon te groeien. Veel langer zou ze het niet verborgen kunnen houden voor hem. Dat wilde ze overigens ook niet. Ze had het niet bewust verzwegen voor hem, er leek alleen nooit een goed moment te zijn om het hem te vertellen. Na het afscheid van Hermien was het niet belangrijk geweest. Toen had ze tijd nodig gehad om alles op een rijtje te zetten en te verwerken. Daarna was het er niet van gekomen. Onbewust was ze ook bang voor zijn reactie. Vader worden had nooit hoog op Franks prioriteitenlijstje van het leven gestaan, wist ze. Ze kon zich niet voorstellen dat dit ondertussen veranderd was. Mede om die reden waren de woorden 'ik

ben zwanger' nog niet over haar lippen gekomen. Als Frank hun relatie verbrak, had ze helemaal niemand meer over. Hoewel ze niet willoos achter hem aan liep en hem zeker niet overal zijn zin in gaf, klampte ze zich wel aan hem vast. Eigenlijk tegen beter weten in hoopte ze op een mooie toekomst voor hen samen met de baby. Hij was haar plechtanker geworden in deze moeilijke, emotionele tijd. Haar leven leek onderhand wel een draaikolk. De ene gebeurtenis volgde de andere op en niet allemaal even positief. Wie had deze ontwikkelingen dan ook kunnen voorzien toen ze verhuisde en de baan in het ziekenhuis aannam? Het had allemaal zo veelbelovend geleken destijds. Nu, amper een jaar later, was dat volledig veranderd. Ze zat op de brokstukken van alles wat gebeurd was en deed wanhopig haar best een nieuw leven op te bouwen, zonder de last van het verleden. Dat viel niet mee. Ze miste de Herman zoals ze hem had leren kennen en kwam steeds meer tot de ontdekking dat ze ook Hermien miste. Al was ze niet zo'n vriendin voor haar geweest als Loes was, door hun eerdere liefdesrelatie hadden ze toch iets heel speciaals samen. Een unieke band, die nu weliswaar verbroken was, maar die ze zich altijd zou blijven herinneren. Hermien nam een hele aparte plaats in in haar leven, zelfs nu ze niet meer lijfelijk aanwezig was.
Paulien hield zichzelf echter voor dat zowel Herman als Hermien voltooid verleden tijd waren en dat ze zich moest richten op de toekomst. Een toekomst met Frank en hun kindje. Een gedachte die haar drie jaar geleden volop geluk zou hebben geschonken, maar waar ze nu eerlijk gezegd een beetje tegenop zag, zonder dat aan zichzelf toe te willen geven.
Ze zette haar dvd speler uit omdat ze toch niets in zich opnam.

Met een boek wat haar via de achterflap beloofde dat het hilarisch was en dat ze er hardop om zou moeten lachen, kroop ze terug haar nog warme bed in. Ze kwam slechts halverwege het eerste hoofdstuk, toen vielen haar ogen dicht. Haar lichaam eiste de rust op die het nodig had en voor het eerst sinds dagen sliep Paulien diep en droomloos, tot ze wakker schrok van een geluid wat ze niet meteen thuis kon brengen. Even later klonk het opnieuw, toen besefte ze pas dat het haar deurbel was. Snel trok ze een badjas aan voordat ze de deur open deed. Het was Frank.
"We hebben gewonnen!" juichte hij, langs haar heen lopend naar binnen. "Je had het moeten zien, schat. Ik heb het winnende doelpunt gemaakt. Zo vanaf de zestienmeterlijn, recht de kruising in! Het hele stadion stond op zijn kop."
"Gefeliciteerd," zei Paulien, nog duf van de ruwe manier waarop ze gewekt was.
"Is dat alles wat je te zeggen hebt?" Hij pakte haar vast en tilde haar op. De bierwalm die uit zijn mond kwam maakte haar misselijk.
"Je hebt gedronken."
"Natuurlijk heb ik gedronken. We hebben gewonnen," herhaalde hij nog eens. "Dat hebben we uiteraard gevierd met een paar biertjes. Doe eens wat enthousiaster."
"Sorry, ik ben nog niet helemaal wakker," verontschuldigde Paulien zich.
"Heb je geslapen?" Hij trok zijn wenkbrauwen hoog op.
"Ik zei toch dat ik moe was. Dat was geen smoesje, Frank. Anders was ik echt wel komen kijken vandaag."
"Als je maar niet ziek wordt." Hij liep naar haar ijskast en opende

die. “Heb je iets te eten in huis? Ik verrek van de honger.”
“Ik kan een paar eieren voor je bakken,” bood ze aan.
“Ik doe het zelf wel. Ga jij maar lekker zitten,” zei hij tot haar verbazing. Hij moest echt wel in een juichstemming zijn, normaal gesproken liet hij zich haar zorgen als vanzelfsprekend aanleunen. Alles wat met de keuken te maken had, was vrouwenwerk, volgens Frank. De verbazing was blijkbaar duidelijk van haar gezicht af te lezen. “Jij voelt je beroerd,” verklaarde hij.
Paulien rechtte haar rug. Dit was hét moment, besefte ze. Een betere gelegenheid om met de waarheid voor de dag te komen was er niet.
“Ik moet je iets vertellen,” begon ze. “Ik ben niet ziek, Frank. Ik ben zwanger.”
De koekenpan, die hij net uit haar kast pakte, belandde kletterend op het aanrecht. Paulien was blij dat hij de doos eieren nog niet in zijn handen had. Met een verbijsterde uitdrukking op zijn gezicht draaide hij zich naar haar om.
“Zwanger?” echode hij. “Je bedoelt… Je krijgt een baby?”
“Wij krijgen een baby,” verbeterde ze hem meteen.
“Je weet zeker dat het van mij is?” vroeg hij met gefronste wenkbrauwen.
“Natuurlijk is het van jou.”
“Maar hoe kan dat nou?”
“Ik mag toch hopen dat je op jouw leeftijd geen seksuele voorlichting meer nodig hebt,” beet Paulien hem toe.
“Ik wil helemaal geen kinderen.”
“Dat had je dan eerder moeten bedenken. Het is waarschijnlijk van onze eerste keer, die avond waarop we elkaar weer tegen-

kwamen."
"Zo lang al?" Hij liep langs haar heen naar de kamer en liet zich daar op de bank zakken. Hij vloekte binnensmonds. "We hebben die avond geen bescherming gebruikt," herinnerde hij zich.
"Dat is niet alleen mijn schuld. Voorbehoedsmiddelen zijn niet alleen het terrein van de vrouw."
Frank zuchtte diep.
"Je hebt gelijk," gaf hij toe. "Maar blij ben ik er niet mee. Vader worden heeft nooit zo hoog op mijn verlanglijstje gestaan. Enfin, het is niet anders. Of je moet voor een andere optie kiezen."
Zijn stem klonk hoopvol, maar Paulien boorde die hoop meteen de bodem in door resoluut haar hoofd te schudden.
"Een abortus is voor mij geen optie. Trouwens, daar ben ik al te ver voor. Geen enkele arts voert nog een abortus uit met deze zwangerschapsduur."
"Daar was ik al bang voor. Nou ja, misschien ga ik nog aan het idee wennen."
Het was niet bepaald de reactie waar Paulien op gehoopt had. Aan de andere kant was het ook niet zo erg als ze had gevreesd. Hij was in ieder geval niet kwaad geworden en had haar ook geen verwijten gemaakt. Waarschijnlijk kwam dat door het winnende doelpunt wat hij die dag had gemaakt. Daardoor was hij in zo'n goede stemming dat zelfs dit nieuws zijn dag niet kon verpesten, kwam het wrang in Pauliens hoofd op. Maar nee, zo wilde ze niet denken. Als ze hun relatie een kans wilde geven moest ze hem niet af gaan kraken.
"Je vindt het vast heel leuk als de baby eenmaal geboren is," zei ze.
"Daar kan ik me nu nog niets bij voorstellen. Maar goed, het is

nu eenmaal zo. Je hoeft niet bang te zijn dat ik je in de steek laat, Paulien."
"Daar ben ik nooit bang voor geweest," zei ze, niet helemaal naar waarheid.
"Je moet maar bij me intrekken," waren zijn volgende woorden.
"Meen je dat?" vroeg Paulien verbaasd.
"Natuurlijk. Als je maar niet zo'n moederkloek wordt die alleen maar met het kind bezig is en niet meer naar haar partner omkijkt," waarschuwde hij haar half lachend, half serieus. "Daar heb ik geen trek in. Misschien kan die vriendin van je regelmatig oppassen, zodat wij samen iets kunnen doen."
"Dat zal vast wel lukken."
Paulien kroop tegen hem aan. Dit was niet het romantische aanzoek waar ze vroeger van gedroomd had. Verre van dat zelfs, maar beter dan niets. In ieder geval hoefde ze deze baby niet in haar eentje te krijgen en dat was haar veel waard. Ondanks zijn gebrek aan enthousiasme piekerde ze er niet over om niet op zijn voorstel in te gaan. Ook al waren ze geen droomstel, ze konden er met een beetje goede wil van beide kanten iets moois van maken. Als ze zich er maar echt voor in zouden zetten. Zo'n goede relatie als ze met Herman had gehad kreeg ze toch nooit meer. Nee, niet aan Herman denken, daar was het moment niet naar. Herman was een mooie droom geweest, zo moest ze hem maar beschouwen. Weigerend aan het verleden te denken, zegde ze de huur van haar flat op. Het was Loes die haar kwam helpen met inpakken. Er hoefde niet zoveel mee naar Franks huis. Op wat kleine meubelstukken na zou alles opgehaald worden door een kringloopwinkel, het enige wat ze in hoefden te pakken waren Pauliens persoonlijke spullen.

"Weet je heel zeker dat dit de juiste stap is?" vroeg Loes ernstig terwijl ze een stapel boeken in een doos stopte.
"Nee," antwoordde Paulien eerlijk. "De laatste tijd heb ik het gevoel dat ik helemaal niets meer weet, behalve dan dat ik dit kindje niet in mijn eentje wil krijgen." Ze streek over haar gestaag groeiende buik.
"Dat is niet de allerbeste reden om met iemand samen te gaan wonen," zei Loes voorzichtig.
"Ga alsjeblieft niet preken," verzocht Paulien. Ze voelde een brok in haar keel komen en knipperde driftig met haar ogen om de tranen tegen te houden. Ze woonde tegenwoordig wel heel dicht aan het water, om het minste geringste begon ze te janken.
"Oké, ik zal mijn wijze lessen voor me houden," grapte Loes in een poging de sfeer wat luchtiger te maken. "Maar één ding, Paulien: wees later nooit te trots om toe te geven dat je een verkeerde beslissing hebt genomen. Je weet dat je bij mij altijd terecht kunt."
Paulien knikte slechts, ze was niet bij machte om een woord uit te brengen. Angst voor de toekomst kneep haar keel bijna dicht. Diep in haar hart wist ze wel dat naar Frank toe vluchten geen oplossing voor haar problemen was, maar dat schoof ze haastig naar de achtergrond. Hij was voor dit moment in ieder geval een stabiele factor in haar leven, iets wat ze hard nodig had. Emotioneel gezien lag ze volledig in puin.
"Weet je trouwens dat Victoria ontslag heeft genomen?" zei Loes toen ze even stopten voor een welverdiende pauze. "Ze heeft een baan in een privé kliniek aangeboden gekregen. Haar oom werkt daar als directeur."
"Relaties zijn alles," knikte Paulien. "Nou, ik zal haar niet missen.

Wedden dat Irene nu voortaan wel weer normaal tegen me doet? Die staat echt onder invloed van Victoria. In eerste instantie reageerde ze helemaal niet negatief op mijn verhaal, maar nadat we haar met Victoria achter hadden gelaten sloeg ze om."
"Je hoeft nu in ieder geval niet bang te zijn dat Victoria assisteert bij je bevalling."
"Gelukkig maar." Paulien grinnikte. "Dat was weer echt iets voor mij geweest. We hebben geen woord meer met elkaar gewisseld sinds ik verteld heb van Hermans transseksualiteit. Het is niet echt ontspannen als je dan moet bevallen en ze staat naast de verlostafel. Wanneer is ze er voor het laatst?"
"Ze is al weg," wist Loes te melden. "Ze kon daar met onmiddellijke ingang beginnen omdat er plotseling twee personeelsleden waren uitgevallen, dus heeft ze op staande voet ontslag genomen."
"Lekker collegiaal. Daar zal Regina niet blij mee zijn."
"Vast niet." Loes hees zich overeind. "We gaan weer verder. Tenminste, ik ga verder. Jij blijft even zitten," zei ze streng met een blik op Pauliens bleke gezicht.
"Ik kan jou toch niet in je eentje laten werken," stribbelde die tegen.
"Ja hoor, dat kan prima. Jij hebt nog genoeg te doen straks, tenslotte moet alles ook weer uitgepakt worden in Franks huis. Zorg jij straks maar voor iets lekkers te eten, dan haal ik je slaapkamerkasten leeg."
Paulien leunde terug in de kussens. Hoe vervelend ze het ook vond dat Loes nu in haar eentje bezig was, het was wel erg prettig om even niets te hoeven doen, gaf ze zichzelf toe. Ze was behoorlijk moe van het ongewone werk en haar rug deed zeer van

het vele bukken. Zodra alles was ingepakt kwam Frank met een bestelbusje de dozen, koffers en kleine meubelstukken ophalen. Ontheemd keek Paulien rond in de nu lege flat, waar ze een jaar had gewoond en waar ze zich altijd thuis had gevoeld. Ze kon alleen maar hopen dat dit in Franks huis ook zo zou zijn.

Nadat ze Loes gedag had gezegd, hees ze zichzelf in de bestelbus, met een laatste blik naar haar flat.

"Niet achterom kijken," zei Frank. "We richten nu onze blik op de toekomst. We zullen het goed hebben met zijn tweetjes."

"Drietjes," verbeterde Paulien hem. "Nog maar een paar maanden, dan vormen we een gezin. De baby is nu al niet meer weg te denken."

Zijn blik versomberde en er gleed een schaduw over zijn gezicht. De gedachte aan de baby schoof hij het liefst zo ver mogelijk weg. Dat zag hij straks wel, als het kind eenmaal geboren was. Zolang dat nog niet het geval was deed hij graag net alsof die baby niet bestond.

Voor ze de hoek omsloegen, keek Paulien nog één keer naar het flatgebouw, daarna richtte ze haar blik op de weg voor haar. Letterlijk en figuurlijk. Haar leven met Frank ging nu beginnen.

Eenmaal bij hem thuis aangekomen begon hij meteen energiek alles uit te laden. Paulien was doodmoe, toch gaf hij haar geen kans om uit te rusten.

"Kom op, schat, even doorwerken, des te eerder zijn we klaar," zei hij. Vanuit de achterkant van het busje gaf hij haar een paar dozen aan. Ze zakte bijna door haar knieën bij het gewicht.

"Niet zo slap doen, hoor," riep hij jolig toen hij dat zag. "Jullie vrouwen willen allemaal geëmancipeerd zijn, maar als het op

sjouwen aankomt moeten de mannen altijd het werk doen. Zo zwaar zijn die dozen niet."
'Maar ik ben zwanger', had Paulien hem toe willen roepen. Ze deed het niet. Ze klemde haar lippen op elkaar en sjouwde net zo hard mee als hij tot alles binnen stond.
"Zullen we nu eerst eten en daarna alles uitpakken en op zijn plek zetten?" stelde Frank voor.
"Prima plan," stemde Paulien daar opgelucht mee in. Dan kon ze tenminste even zitten voordat ze weer aan de slag moest.
Herman zou haar nooit hebben laten tillen in haar toestand, wist ze. Met weemoed dacht ze aan zijn zorgzaamheid en de lieve attenties waar hij haar mee overspoelde. Maar het was niet eerlijk om Herman en Frank met elkaar te vergelijken. Daar moest ze niet mee gaan beginnen, anders was haar relatie met Frank bij voorbaat al gedoemd te mislukken. Herman bestond niet, dat moest ze voor ogen houden. Hij had eigenlijk nooit bestaan. Herman was Hermien in een mannenpak.
Na het eten stond ze moeizaam op, hoewel ze het liefst haar bed ingedoken was. Ze voelde zich niet lekker en had last van een zeurderige pijn onder in haar buik. Omdat ze zich tegenover Frank niet wilde laten kennen pakte ze toch een doos met boeken op. Ze liet die doos echter meteen uit haar handen vallen toen er een felle pijnscheut door haar onderlijf trok. Het leek wel of er iets knapte.
"Wat doe je? Jezus, kun je niet eens een doos in je handen houden?" zei Frank knorrig. "Wat is er nou aan de hand? Waar kijk je naar?"
Paulien was niet in staat om antwoord te geven. Ze staarde naar

beneden, naar het kruis van haar broek. Ontzet wees ze naar de rode vlek in de lichte stof, die langzaam aan steeds groter werd. Daarna werd alles zwart voor haar ogen.

HOOFDSTUK 14

Paulien wist later niet te vertellen hoe ze in het ziekenhuis gekomen was. Ze kwam pas weer een beetje bij zinnen op het moment dat ze op een behandeltafel lag en de dienstdoende gynaecoloog, dokter Van Ginkel, de echobeelden bekeek die op het scherm verschenen terwijl hij met de sensor over haar buik gleed.

"Ik zie geen enkele indicatie dat je baby direct gevaar loopt," stelde hij haar gerust. Hij wees op het beeldscherm aan waar hij deze diagnose op stoelde. "Ik zie hier dat de placenta nog volledig intact is en op de goede plek ligt. Het hartje van de baby klopt uitstekend."

"Ik krijg toch niet zomaar een bloeding," repliceerde Paulien.

"De kans is groot dat je een adertje hebt gescheurd," zei dokter Van Ginkel. "Natuurlijk nemen we geen enkel risico en blijf je voorlopig hier, maar ik denk dat het wel meevalt. Ik zou me in ieder geval niet teveel zorgen maken als ik jou was." Hij zette de monitor uit en begon een formulier in te vullen. "In ieder geval nemen we je op en we houden de boel goed in de gaten. De eerste dagen krijg je volledige bedrust voorgeschreven, als de bloeding gestopt is mag je voorzichtig aan weer beginnen met lopen. Dan kunnen we zien wat er gebeurt."

"Hoe lang moet ze hier blijven?" informeerde Frank bruusk.

"Minimaal een week. Zoals ik al zei, we nemen geen enkel risico. Een bloeding in dit stadium van de zwangerschap kan fataal zijn. Ook al zie ik daar geen tekenen van, toch doen we voorzichtig aan met je vriendin. We kijken een paar dagen aan of de bloeding wel of niet doorzet. Zo niet, dan gaan we het bewegen weer lang-

zaam opbouwen."
"Mooie boel is dat," mopperde Frank. "Zit ik dus in mijn eentje in die rotzooi. Lekker."
Dokter Van Ginkel keek hem bevreemd aan. Paulien reageerde niet op zijn woorden. Het lag op het puntje van haar tong hem te vertellen dat ze waarschijnlijk helemaal geen bloeding had gekregen als hij haar niet zo had laten sjouwen, maar ze slikte die woorden in. Frank had totaal geen verstand van zwangerschappen, ze kon hem niet kwalijk nemen dat hij niet wist dat zwaar tillen niet goed was in zulke omstandigheden. Ze had zelf verstandiger moeten zijn en hem moeten zeggen dat ze die dozen niet wilde tillen. Normaal kon ze altijd goed voor zichzelf opkomen, tegenover Frank leek haar dat echter niet te lukken. Alsof ze zichzelf niet kon zijn bij hem. Weer zo'n onaangename gedachte die Paulien ver weg schoof. Ze wilde niet negatief denken, dat leidde nergens toe.
Gelaten liet ze zich naar de verpleegafdeling brengen, waar ze hartelijk begroet werd. Iedereen kende haar hier natuurlijk, wat haar enigszins verzoende met deze onverwachte opname.
"Nou, ik ga," kondigde Frank aan zodra ze in een bed was geïnstalleerd.
"Je mag best nog even blijven," zei Tanja, de verpleegkundige die Paulien op de afdeling had opgevangen. Ze kenden elkaar uit de kantine en hadden wel eens een praatje gemaakt als ze bij elkaar aan tafel hun lunch nuttigden. "Het andere bed in deze kamer is toch niet bezet, niemand heeft er last van."
"Geen tijd," wimpelde Frank dat af. "Mijn hele huis staat overhoop. Iemand zal dat toch op moeten ruimen."

"Kom je straks nog wel mijn spullen brengen?" vroeg Paulien kleintjes. "Ik heb in ieder geval nachtgoed, ondergoed en toiletspullen nodig."
"Als ik dat kan vinden in die dozen en koffers. Eigenlijk was ik niet van plan om dat allemaal uit te pakken, dat kun je beter straks zelf doen."
"Paulien mag voorlopig helemaal niets doen," mengde Tanja zich resoluut in het gesprek. Met opgetrokken wenkbrauwen bekeek ze hem. Meestal waren de aanstaande vaders in een dergelijke situatie heel wat liever voor hun vrouw. Ze had Frank nog niet eerder ontmoet, maar op deze manier verlangde ze ook niet naar een nadere kennismaking. Wat een hork!
"Ik zie wel," maakte hij zich er vanaf. Na een vluchtige zoen op haar voorhoofd vertrok hij.
Paulien was blij dat Tanja niet op het onderwerp doorging, maar professioneel aan het intake gesprek begon. Ze kon haar tranen maar met moeite bedwingen. Positief denken was leuk, maar er moest wel een aanleiding voor zijn en die gaf Frank haar op deze manier niet echt. Ze voelde zich eenzamer dan ooit. Zo vreemd was het toch niet dat ze onder deze omstandigheden steun van haar partner verwachtte? Herman zou... Nee, kapte ze deze gedachte onmiddellijk af. Niet doen! Niet aan Herman denken.
"Kan ik nog iemand voor je bellen?" informeerde Tanja zodra al haar gegevens in haar status waren ingevuld.
Paulien aarzelde even. Loes was de eerste persoon die bij haar opkwam. Maar Loes deed al zo ontzettend veel voor haar, ze wilde haar niet voortdurend lastig blijven vallen met haar sores. Ze was vanmiddag al urenlang bezig geweest met inpakken voor

haar. Toch moest ze het weten, al was het maar omdat ze de dag erna niet op haar werk zou kunnen komen.
"Als je Loes wilt bellen?" vroeg ze dan ook. "Ze hoeft niet persé meteen te komen, maar dan weet ze vast dat ik morgen niet kom."
"We kunnen je met bed en al naar je kantoortje rijden," grinnikte Tanja.
Zoals ze eigenlijk wel verwacht had, stond Loes nog geen uur later geschrokken aan haar bed. Ze wilde het naadje van de kous weten over wat er precies was gebeurd en wat de dokter had gezegd. Paulien verzweeg expres het feit dat ze te zwaar had getild, maar Loes was ook niet achterlijk.
"Frank had beter moeten weten," foeterde ze. "Hij heeft je natuurlijk veel te hard laten werken en laten sjouwen. Verdorie. Waar is hij nu?"
"Spullen halen," antwoordde Paulien. "Tenminste, dat hoop ik."
Zonder dat ze het tegen kon houden gleden de tranen ineens over haar wangen. Ze had ze niet eens op voelen komen, ze verschenen vanuit het niets. "Hij was kwaad," snikte ze. "Omdat hij nu in de troep zit. Mijn troep."
Loes slikte een verwensing aan Franks adres in.
"Ik haal wel spullen voor je," zei ze in plaats daarvan. "Dan weet je tenminste zeker dat je alles krijgt wat je nodig hebt. Geef de sleutel van jullie huis maar, voor het geval Frank niet thuis is."
"Die heb ik niet. Nog niet," bekende Paulien kleintjes.
Loes hield een zucht binnen.
"Dan ga ik maar op goed geluk. Als hij er niet is dan pak ik wel even wat van mezelf, dan zit je in ieder geval niet zonder."
"Dank je wel, je bent een schat," zei Paulien dankbaar. "Ik voel

me zo bezwaard naar jou toe. Jij bent steeds degene die de klappen opvangt voor me."
"Ik neem vast nog wel een keer wraak," grijnsde Loes. "Je zit nu eenmaal in een turbulente periode, maar dat maken we allemaal op zijn tijd mee. Als het mijn beurt is, weet ik jou te vinden."
Ze verdween en Paulien viel in een diepe slaap. Ze merkte niet eens dat Loes later terugkwam, met een grote tas. Zo zacht mogelijk ruimde ze de spullen die ze bij zich had op in het daarvoor bestemde kastje naast het bed. Het was niet makkelijk geweest om alles wat Paulien nu nodig had terug te vinden in de dozen en koffers die nog onuitgepakt in Franks huis stonden. Zelf had hij vanaf de bank toegekeken, met een biertje in zijn handen. Ter wille van Paulien had Loes er niets van gezegd, al hadden haar handen gejeukt om hem van die bank af te sleuren en aan het werk te zetten. Niet voor het eerst had ze zich afgevraagd wat Paulien toch in deze man zag. Hij zou ongetwijfeld ook zijn goede kanten hebben, maar die had zij, Loes, nog niet ontdekt.
Ook Paulien kwam al snel tot de ontdekking dat Frank nog geen spat veranderd was vergeleken bij vroeger. Ze deed serieus haar best om een succes van hun relatie te maken, maar hij werkte daar niet echt aan mee. Alle slechte karaktereigenschappen die hij bezat en die haar destijds hadden doen besluiten hun relatie te beëindigen, waren nog steeds volop aanwezig. Hij kon echt enorm lief zijn, maar dan vooral wanneer het hem uitkwam. Als de zaken niet liepen zoals hij wilde reageerde hij vooral geïrriteerd en snauwde hij haar af. Aangezien zowel de zwangerschap als deze ziekenhuisopname hem niet bevielen, kreeg Paulien in de dagen erna de volle lading over zich heen. Als hij op de be-

zoekuren kwam tenminste, want hij verscheen lang niet iedere dag aan haar bed.
Over gebrek aan belangstelling hoefde Paulien desondanks niet te klagen. Iedereen die op de kraamafdeling werkte kende ze op zijn minst van gezicht en ze kwamen om de beurt even bij haar kletsen. Zelfs Irene had haar afwerende houding laten varen nu Victoria niet langer in beeld was.
Loes bracht trouw iedere dag haar lunchpauzes bij Paulien op de kamer door en ze kwam na werktijd altijd nog even langs om gedag te zeggen voor ze naar huis ging.
De bloeding was inmiddels gestopt. Na vier dagen mocht Paulien haar bed uit voor een voorzichtig wandelingetje over de gang. Ze wachtte hier speciaal mee tot Loes pauze had.
"Dit is zenuwslopend," zei ze tegen haar. "Ik ben zo bang dat het weer gaat beginnen."
"Die kans is uiterst klein, anders had je geen toestemming gehad," zei Loes.
"Dat weet mijn verstand. Maar mijn gevoel?" Paulien schudde haar hoofd. "Die is het daar helemaal niet mee eens."
"Jouw gevoel en verstand werken niet altijd even goed met elkaar samen," flapte Loes eruit. "Dat zie je aan je relatie met Frank."
Paulien verstrakte. Ze wist al precies wat Loes over dit onderwerp wilde zeggen. Ze was het ook met haar eens, maar ze wilde het niet horen. Dit was zo precair.
"Er zitten meerdere kanten aan het verhaal," zei ze stug.
"Angst," wist Loes onverstoorbaar. "Angst om alleen te zijn met je kind. Maar denk je werkelijk dat Frank je daarin goed bij zal staan? Waar is hij nu bijvoorbeeld? Waar was hij gisteren tijdens

het bezoekuur? Met hem ben je eenzamer dan zonder hem, denk ik."
"Ik wil er niet over praten." Aan het eind van de gang keerde Paulien om. Haar gezicht zag bleek. "Ik wil nu graag terug naar bed."
Zwijgend liepen ze terug naar de verpleegkamer. In de uren daarna ging Paulien steeds opnieuw naar het toilet, om te controleren of de bloeding niet weer opnieuw begon. Gelukkig bleef dat haar bespaard. De dag erna werd er opnieuw een echo gemaakt, die er volgens dokter Van Ginkel uitstekend uitzag.
"Voor zover ik hier kan zien, draag je een gezond, goed groeiend kind met je mee," zei hij met een glimlach. "Er is geen enkele reden om je nog langer hier te houden."
"Ik mag naar huis?" begreep Paulien.
"Dat is wat ik bedoelde, ja. We gaan je bloed en urine nog een keer controleren en als dat goed is, waar ik vanuit ga, mag je morgen weg. Dan zie ik je over twee weken op de polikliniek voor de gewone zwangerschapscontrole. Je mag nu niet meer terug naar je verloskundige, ik neem het van haar over."
"Ik had het slechter kunnen treffen," zei Paulien vrolijk. "Jij doet ook de bevalling?"
"Als ik dienst heb wel."
"Geef me je werkrooster mee, dan stem ik mijn weeën daar op af," grapte ze.
Ze mocht dus naar huis. Het was een boodschap die ze, in tegenstelling tot andere patiënten, met gemengde gevoelens ontving. Welk huis? Ze had zelf geen woning meer en het huis van Frank voelde voor haar nog niet als zodanig. Ze wist niet eens in welke kasten haar spullen lagen. De rest van haar zwangerschap moest

ze rustig aan doen en mocht ze niet meer werken. Ze zag er als een berg tegenop om de weken die haar nog restten iedere dag in haar eentje in dat huis door te brengen. Hoewel dat wellicht juist wel goed was, probeerde ze zichzelf moed in te spreken. Dan had ze alle tijd om vertrouwd te raken met de woning en er haar eigen stempel op te drukken. Een babykamertje inrichten, wat leuke spulletjes kopen om neer te zetten, de kasten reorganiseren, foto's ophangen. Ze moest wel haar rust nemen, maar ze hoefde tenslotte niet hele dagen in bed te blijven liggen. Zolang ze niet met meubels ging lopen slepen kon er weinig fout gaan.
Halverwege het avondbezoekuur kwam Frank haar kamer binnen en ze maakte hem meteen deelgenoot van het goede nieuws.
"Hè, hè," zei hij. "Dat zou tijd worden. Dat heen en weer rijden naar het ziekenhuis is een enorme aanslag."
"Alsof jij daar veel last van had. Zo vaak ben je niet geweest," schoot Paulien uit.
"Ik werk de hele dag," verdedigde hij zichzelf. "Dit kwam voor mij ook onverwacht, Paulien. Je kunt niet verwachten dat ik plotseling mijn hele leven voor je omgooi."
"Jij bent degene die voorstelde om samen te gaan wonen," hielp ze hem herinneren.
"Samen, ja. Niet ik thuis en jij hier. Dit was niet wat ik me erbij had voorgesteld."
"Als de baby er eenmaal is, zullen wel meer zaken niet zo lopen als je in gedachten hebt. Het leven met een klein kind is nu eenmaal niet voorspelbaar."
"Daar begin ik ook steeds meer achter te komen. Blij ben ik daar niet mee, maar goed, dat wist je al."

Paulien beet op haar lip. Haar droom van een gezinnetje begon steeds meer af te brokkelen. Bij haar onverwachte ziekenhuisopname had ze nog de stille hoop gekoesterd dat Frank zo zou schrikken dat hij zijn mening over de komende baby bij zou stellen. Je hoorde wel vaker dat mensen juist op dat soort cruciale momenten gingen beseffen hoeveel ze van iemand hielden. Bij Frank was daar echter geen sprake van. Hij beschouwde de baby duidelijk als een last. Deze opname had dat juist nog versterkt, omdat nu tot hem doorgedrongen was dat een zorgeloos leventje samen er niet meer inzat. Ze begon steeds meer te begrijpen dat haar hoop dat Frank als een blad aan een boom om zou slaan als hij hun kind eenmaal in zijn armen had, niet realistisch was.
Vlak voor het bezoekuur ten einde liep overhandigde hij haar een huissleutel.
"Dan kun je er tenminste in," zei hij.
"Je komt me toch wel halen?" vroeg Paulien onzeker.
"Ik kan niet op stel en sprong vrij nemen. Morgen heb ik een belangrijke bespreking, die kan niet zomaar uitgesteld worden," beweerde Frank.
"Maar hoe kom ik dan thuis?" Paniek steeg in haar op. Tegen beter weten in bleef ze toch verwachten dat Frank er voor haar was, dat hij voor haar zou zorgen.
"Met een taxi. Je hoeft echt niet bang te zijn dat ik je met de bus laat gaan." Hij pakte zijn portemonnee uit zijn broekzak en legde enkele bankbiljetten op haar kastje. "Hier, dat moet genoeg zijn. Haal morgen maar geen boodschappen in huis, ik neem vanuit mijn werk wel wat te eten mee."
"Goh, je goede zorgen zijn roerend," kon ze niet nalaten sarcas-

tisch op te merken.
Dat sarcasme ging echter volledig aan hem voorbij, hij reageerde er in ieder geval niet op. Met een lichte zoen op haar wang nam hij afscheid.
Paulien borg de sleutel en het geld zorgvuldig op. Als ze dat kwijtraakte had ze pas echt een probleem. Ze durfde tegen Irene, die de volgende ochtend dienst had en die haar ontslag regelde, niet eens te zeggen dat ze niet opgehaald werd. Het voelde als een blamage, een vernedering. Met een glimlach die op haar gezicht gebeiteld leek te zitten en het smoesje dat Frank beneden op haar wachtte, nam ze afscheid van het verplegend personeel. Vlak voor ze de klapdeuren doorging die naar de centrale hal met de liften leidde, kwam Loes aan rennen.
"Ik ben nog net op tijd, zie ik," hijgde ze. "Ik heb me vanochtend verslapen, dat zul je altijd zien. Zo meid, je gaat er dus weer vandoor. Waar moet ik nu mijn boterhammetjes opeten tussen de middag?"
"Neem een uurtje langer pauze en kom naar mijn huis toe," stelde Paulien voor.
"Dat zal de uitzendkracht die jou vervangt vast niet leuk vinden." Loes omhelsde haar vriendin hartelijk. "Fijn dat het zo goed gaat dat je naar huis mag. Waar is Frank?"
Beneden, wilde Paulien zeggen, net als ze tegen de anderen had gedaan. Maar tegen Loes kon ze niet liegen.
"Hij heeft een belangrijke vergadering," zei ze dan ook. Ze wendde haar gezicht af, want ze wilde niet dat Loes de tranen zou zien die plotseling in haar ogen schoten.
Er verscheen een grimmige trek op Loes' gezicht. Ze had het

kunnen weten!
"Blijf hier," zei ze kortaf terwijl ze Paulien op een stoel duwde.
"Hoezo? Wat ga je doen?" vroeg Paulien verward.
"Vrij regelen, zodat ik met je mee kan."
Het klonk zo resoluut dat Paulien niet durfde te protesteren. Eigenlijk wilde ze dat ook niet. Ze was dolblij dat er iemand met haar mee ging.
Het duurde ruim een kwartier voor Loes terug kwam.
"Gelukt," riep ze. Als vanzelfsprekend pakte zij de tas van Paulien van de vloer op. "Ik hoef vandaag niet meer terug te komen, dus we gaan fijn de bloemetjes buiten zetten! Zullen we onderweg stoppen bij een banketbakker voor een lekkere taart? Tenslotte moeten we je thuiskomst wel vieren."
"Chocoladetaart," zei Paulien meteen. Het water liep haar mond al in bij de gedachte. "Frank heeft me geld gegeven voor een taxi en daar kan makkelijk nog een taart vanaf."
"Dan is hij tenminste nog ergens goed voor," mompelde Loes voordat ze de lift instapten.
Paulien hoorde het, maar gaf er wijselijk geen antwoord op. Frank was haar partner en de vader van haar kind, ze wilde hem niet steeds afvallen. Dat voelde toch een beetje als verraad. Hem verdedigen kon ze op dat moment echter ook niet meer.

HOOFDSTUK 15

Bij het in de taxi stappen moest Paulien even goed nadenken voor ze het juiste adres kon noemen. Min of meer automatisch wilde ze de chauffeur haar eigen, oude adres opgeven, ze bedacht zich net op tijd. Na een korte stop bij een banketbakker arriveerden ze bij de bewuste woning. Voor het eerst opende Paulien zelf de voordeur van het huis waar ze de komende tijd haar thuis van moest zien te maken. Ze betwijfelde of dat zou lukken. Aan het huis lag het niet. Dat was ruim en zonnig, met een grote keuken en luxe badkamer, de bewoner ervan was echter een ander verhaal.

De dozen en koffers die ze vorige week hierheen hadden verhuisd, stonden nog steeds in de kamer. Paulien kon wel huilen toen ze dat zag. Ze was zo moe en lamgeslagen door alles dat ze er als een berg tegenop zag om op te moeten ruimen. Bovendien moest ze nog veel rust houden en had de gynaecoloog haar verboden zware klussen te doen.

"Leef voorlopig maar als een vrouw van negentig," had hij die ochtend tijdens zijn ronde nog aangeraden. "Vooral zo kalm mogelijk."

Daar kwam op deze manier weinig van terecht. Ze vroeg zich af wat Frank al die dagen had gedaan tijdens de uren waarin hij het zo druk had gehad dat hij niet eens op het bezoekuur was verschenen.

"Maak je niet druk om die spullen," zei Loes bij het zien van Pauliens verwrongen gezicht. "Dat komt wel in orde. Ik ga nu eerst koffie maken en als we die, samen met die heerlijke choco-

ladetaart, genuttigd hebben, ga jij een paar uur je bed in en dan pak ik dit alles uit."
"Het is toch te belachelijk voor woorden dat jij voor dit soort klussen op moet draaien," zei Paulien moedeloos. "Je doet al zo enorm veel voor me. Veel meer dan nodig zou moeten zijn voor iemand die een partner heeft."
"Ik zou Frank niet je partner willen noemen, ik heb hele andere benamingen voor hem," merkte Loes grimmig op. Ze duwde Paulien bijna op de bank. "Ga zitten jij. Jij hebt momenteel maar één prioriteit en dat is de gezondheid van je baby. De rest moet je maar zoveel mogelijk over je heen laten komen."
"Ik voel me zo schuldig naar jou toe. Als ik alleen zou zijn was het een ander verhaal, maar ik ben niet alleen. Frank zou zijn verantwoordelijkheden moeten nemen."
Loes maakte een veelzeggend gebaar met haar elleboog en ze snoof minachtend.
"Laat ik daar maar niet op ingaan. Je weet hoe ik over Frank denk, dat hoeft niet steeds opnieuw gezegd te worden. Diep in je hart denk je er zelf ook zo over, dat weet ik zeker. Je wilt het alleen niet zien, je sluit je ogen ervoor."
"Wat kan ik anders?" zei Paulien zacht. "Ik heb zelf al mijn schepen achter me verbrand. Ik heb gekozen voor Frank, dus ik zal ook de gevolgen moeten dragen."
"Dat hoeft niet persé, er is ook nog een andere mogelijkheid," zei Loes.
"En die is?"
"We kunnen deze spullen ook overhevelen naar mijn huis. Logeer voorlopig bij mij tot de baby er is. Je zult toch zelf ook toe moeten

geven dat deze zogenaamde relatie met Frank één grote farce is."
Plotseling begon Paulien te huilen, zoals zo vaak de laatste tijd.
"Ik doe alles verkeerd," snikte ze. "Eerst met Herman, nu met Frank. Ik ben zo stom geweest."
"Jij hebt een begrijpelijke fout gemaakt, daar hoef je je niet schuldig om te voelen," zei Loes lief. "Er kwam ook zoveel op je af de laatste tijd. Het wordt nu echter tijd dat je orde op zaken gaat stellen en je leven in eigen hand gaat nemen. Frank hoort daar niet bij, volgens mij heb je dat zelf ook heel goed in de gaten."
"Het beste besluit wat ik ooit genomen heb is de relatie met hem destijds verbreken," gaf Paulien toe. "Ik moet aan verstandsverbijstering hebben geleden toen ik hem terugnam."
"Tijdelijke verstandsverbijstering, veroorzaakt door de omstandigheden. Gelukkig is dat nu over," zei Loes vanuit de grond van haar hart. Zij had de relatie tussen Paulien en Frank met lede ogen aangezien. Het was voor haar geen vraag geweest of het fout zou lopen, maar wanneer dat zou gebeuren. Gelukkig had het niet zo lang geduurd voor Paulien haar gezonde verstand terug had gekregen, al was het jammer dat ze niet een week eerder tot dit inzicht was gekomen, voordat ze haar eigen flat had verlaten.
"Meen je dat werkelijk, dat ik voorlopig bij jou kan logeren?" vroeg Paulien.
"Natuurlijk. We zijn toch vriendinnen?" antwoordde Loes als vanzelfsprekend.
"Het is zo stom dat ik mijn flat heb opgezegd. Ik wist op dat moment al dat samenwonen met Frank geen goed plan was, maar ik wilde zo graag dat het zou lukken. Alles was beter dan in mijn eentje de baby krijgen."

"Bekijk het van de positieve kant. Nu kun je straks, als de baby er is, helemaal opnieuw beginnen. Jouw flat was toch te klein, daar kon je geen babykamer in maken. Je vindt heus wel weer iets anders, iets wat beter bij je omstandigheden past," zei Loes optimistisch. "Voorlopig mag je toch weinig doen, dus is het alleen maar goed dat je niet alleen bent. Ik vind het trouwens wel gezellig dat je een poosje bij mij komt wonen."
"Dan hoop ik maar dat ik niet tegenval."
"Vast niet."
"Roep dat niet te hard. Dat dacht Frank ook," zei Paulien met een grimas. Ze keek om zich heen in de rommelige kamer. "Hoe krijgen we dit allemaal bij jou?"
"Een neef van me heeft een busje, ik ga hem bellen," besloot Loes. "Hij runt met een vriend van hem een installatiebedrijf. Met een beetje mazzel zitten ze ergens in de buurt en heeft hij tijd om ons, met je spullen, weg te brengen."
Ze belde hem en had inderdaad geluk. Kevin en zijn vriend Raymond waren drie straten verder bezig met het installeren van een centrale verwarming, een klus waar ze nog ongeveer een uur mee bezig zouden zijn. Voor ze aan hun volgende opdracht begonnen wilden ze de twee vrouwen wel even overbrengen, beloofde hij nadat Loes de situatie had uitgelegd, mits ze ervoor zou zorgen dat de spullen klaar stonden om ingeladen te worden.
"Nou, dat laatste is geen probleem," zei Loes met een brede lach en een knipoog naar Paulien.
Terwijl Paulien koffie zette, zodat ze eindelijk aan de lonkende chocoladetaart konden beginnen, stapelde Loes alles zoveel mogelijk op in de gang, zodat de mannen het straks zo in het busje

konden laden. Voordat ze zelf instapten waste Paulien nog even snel de gebruikte kopjes en gebakschoteltjes af, hoewel Loes haar voor gek verklaarde.
"Laat Frank maar zien dat we je verhuizing gevierd hebben," zei ze smalend.
De voorbank van het bestelbusje bevatte eigenlijk maar plaats voor drie personen, maar volgens Kevin was dat geen bezwaar.
"Met een beetje inschuiven lukt het wel," zei hij optimistisch. "Het is maar een kort ritje."
"Ik vrees dat ik mezelf niet zo klein kan maken," zei Paulien, wijzend op haar buik.
"Loes kan op mijn schoot," grijnsde Raymond.
Loes maakte een veelzeggend gebaar met haar arm, al kon Paulien aan haar zien dat ze dit helemaal niet zo'n afschrikwekkend idee vond. Het was voor het eerst dat ze zag dat Loes een man echt leuk vond en ze bekeek het met belangstelling.
Bij Loes' appartement aangekomen hadden de mannen alles in een mum van tijd uitgeladen. De kleine woonkamer barstte meteen uit zijn voegen, iets waar Paulien zich weer schuldig om voelde. Ze maakte er echt een puinhoop van. Niet alleen voor zichzelf, maar ook voor anderen, dacht ze somber bij zichzelf. Het werd inderdaad hoog tijd om orde op zaken te stellen. Ze had lang genoeg haar hoofd in het zand gestoken.
"Daar hebben we geen tijd voor," wimpelde Kevin Loes' aanbod voor een kop koffie af. "De volgende klus ligt op ons te wachten."
"Neem dan in ieder geval een stuk taart mee," drong Paulien aan. "Voor jullie pauze straks. Hartstikke bedankt, jongens. Ik weet niet hoe we dit hadden moeten doen zonder jullie hulp."

"Een afspraakje zou een mooie beloning zijn," zei Raymond. Hoewel Paulien het had gezegd, keek hij Loes aan.
"Ik weet niet of Paulien daar zin in heeft, ze is zwanger," zei die met een stalen gezicht.
Raymond lachte. "Je bent geen katje om zonder handschoenen aan te pakken, hè? Ik mag dat wel. Zullen we een keertje uit eten gaan? Eerlijk zeggen, je hoeft het niet te doen omdat je je verplicht voelt vanwege onze hulp."
Loes aarzelde en keek naar Paulien.
"Doen," zei die meteen. "Voor mij hoef je het niet te laten."
"Ik kan jou toch moeilijk alleen laten zitten?"
"Je moet toch ook werken? Of ben je van plan om twee maanden vakantie te nemen zodat je de hele dag mijn handje vast kunt houden?" vroeg Paulien realistisch. "Dat zou onzinnig zijn. Dat ik nu bij je logeer, betekent niet dat jij je eigen leven on hold moet zetten. Ik zal je huis niet in de fik steken als jij er niet bent," beloofde ze.
"Oké dan," hakte Loes de knoop door. Er lag een zachte blos op haar wangen, merkte Paulien plezierig op. "Bel me maar eens." Ze schreef haar telefoonnummer op en gaf dat aan hem.
"Snel," beloofde hij met zijn ogen vast in de hare.
"Je hebt een verovering gemaakt," genoot Paulien zodra de twee mannen weg waren.
"Eerst maar afwachten of hij echt belt. Ik heb dergelijke beloftes vaker gehoord," zei Loes nuchter. "Ik maak me niet zoveel illusies meer op het gebied van de liefde."
"Volgens mij was hij serieus. Hij ziet er leuk uit ook. En hij is bevriend met je neef, je kunt referenties aan Kevin vragen," plaagde

Paulien haar.
"Hou nou maar op," bromde Loes. "Ik ga mijn logeerkamertje in orde maken voor je. Er staat een kast in, maar ik ben bang dat die niet groot genoeg is voor al je spullen. Als jij uit wilt zoeken wat je niet direct nodig hebt, dan zet ik dat straks in de kelder."
"Ik bezorg je wel veel last, hè?" zei Paulien schuldbewust. "Ik zal echt zo snel mogelijk woonruimte proberen te huren, zodat ik je geen dag langer tot last ben dan strikt noodzakelijk is."
"Tot na je bevalling blijf je in ieder geval hier. En als jij de boel een beetje wilt schoonmaken en 's avonds voor het eten zorgt, mag je wat mij betreft voor altijd bij me blijven wonen," lachte Loes.
"Pas maar op, straks hou ik je daaraan," dreigde Paulien.
Het klonk niet eens onaantrekkelijk. Zij en Loes hadden vanaf het eerste moment een geweldige klik gehad samen. Een betere vriendin dan Loes had ze nooit gehad en zou ze ook nooit meer krijgen. Maar juist daarom was het beter om niet al te lang bij haar te blijven. Logees en vis blijven maar drie dagen fris, schoot Paulien een oud spreekwoord in gedachten. Nou ja, die drie dagen zou ze niet redden, maar ze zou wel haar best doen om ervoor te zorgen dat Loes niet binnen een week al zou hopen dat ze snel weer ging verhuizen. Al mocht ze van de dokter dan niet veel doen, de boel hier schoon houden moest haar toch wel lukken.
Ze belde Frank op zijn mobiel, maar kreeg zijn voice mail. Omdat ze hun relatie niet via een dergelijk bericht wilde verbreken sprak ze in met het verzoek of hij haar terug wilde bellen. Dat deed hij pas aan het eind van de middag.
"Wat nu weer?" vroeg hij korzelig. "Ik hoop toch dat je me niet

steeds voor ieder wissewasje stoort als ik aan het werk ben, Paulien."
"Wees maar niet bang," zei ze spottend. Mocht ze soms nog een spoortje twijfel hebben gevoeld, dan had hij dat met deze opmerking voorgoed de kop in gedrukt. "Maar als ik nu even een paar minuten van je kostbare tijd mag hebben, kan ik je vertellen dat ik net mijn spullen heb verhuisd. Aangezien alles nog ingepakt stond, was dat niet zo enorm veel werk. Bedankt daarvoor."
"Wacht even. Je bedoelt... Je bent weg?" vroeg Frank.
"Ja. Het werkt niet tussen ons, Frank. Dat zal jij toch ook toe moeten geven."
"Waarschijnlijk is dit inderdaad het beste," zei hij langzaam. "Ik was echt blij dat we elkaar weer ontmoet hadden en dat we opnieuw begonnen, maar in de praktijk is het me tegen gevallen. Ik dacht dat we zonder meer de draad weer op konden pakken waar hij destijds is blijven liggen."
"Toen waren we jong en onbezorgd en hadden we geen problemen aan ons hoofd," zei Paulien. "Wat jij wilt is lang leve de lol, niet teveel nadenken en vooral geen verantwoordelijkheden. Ja, dat zal je dan inderdaad wel tegen zijn gevallen. De tijd is niet stil blijven staan, Frank. We zijn geen onbezorgde tieners meer. We zijn veranderd."
"Jij zeker," reageerde hij wrang.
"Jij niet, inderdaad," beaamde Paulien. "Dat is nu net het euvel. Je bent nooit volwassen geworden. Zolang jij je werk, je voetbal en je biertje hebt, vind je alles best. Een leuke vrouw past daar ook nog wel bij, maar dan moet het iemand zijn die jou je gang laat gaan en die niet zeurt of klaagt. Het mag zeker niet iemand

zijn die je, op welke manier dan ook, nodig heeft, want dan geef je niet thuis."
"Ik heb het geprobeerd," verdedigde Frank zichzelf. "Ik had je ook meteen in de steek kunnen laten bij je mededeling dat je zwanger bent."
"Je bent te goed voor deze wereld," spotte Paulien. "Was je er maar meteen vandoor gegaan, dan had ik nu mijn eigen flat tenminste nog gehad. Dan was ik beter af geweest dan nu het geval is."
"Je had ook nee kunnen zeggen."
"Ik geef jou de schuld niet, ik had zelf wijzer moeten zijn. Ervaringen uit het verleden bieden geen garantie voor de toekomst, maar in dit geval had ik wel naar het verleden moeten kijken voor ik die beslissing nam."
"Waar ben je nu?" wilde Frank weten.
"Bij Loes, in afwachting van eigen woonruimte."
"Als ik iets hoor zal ik het je laten weten," beloofde hij haar. "En eh... Als ik verder nog iets voor je kan doen ook. Mocht je hulp nodig hebben met de baby, dan kun je me altijd bellen."
Het klonk niet echt hartelijk of gemeend. Onwillekeurig strekte Paulien haar rug, al kon Frank dat door de telefoon niet zien.
"Nee, dank je wel," zei ze waardig. "Ik red me prima, ook zonder vader voor mijn kind."
"Als jij dat zo wilt," zei hij nog voor de vorm. Paulien hoorde echter de opluchting in zijn stem doorklinken.
Zonder hartzeer nam ze afscheid van hem. Voorgoed, dit keer. Vroeger was ze jong en naïef geweest toen ze een relatie met hem begon en bovendien ontzettend verliefd. Zo verliefd dat ze blind

was voor zijn fouten en tekortkomingen. Dit keer had ze zijn verkeerde karaktereigenschappen wel onderkend, maar was ze om hele andere, verkeerde, redenen toch weer opnieuw met hem in zee gegaan. Dat was een fout die ze nooit meer zou maken, dat wist ze zeker. Toch kon ze geen spijt hebben van hun kortstondige relatie. Liefdevol streek ze over haar buik. De ontdekking dat ze zwanger was, was een enorme schok voor haar geweest, maar nu al kon ze zich een leven zonder haar kindje niet meer voorstellen terwijl hij of zij nog niet eens geboren was. De enorme angst die ze had gevoeld bij die bloeding zou ze niet snel meer vergeten. Dat kindje was nu het belangrijkste. Zij gingen het samen wel redden, daar was ze van overtuigd. Ze had een roerig jaar achter de rug, maar ze was sterk genoeg om alles aan te kunnen. Ze was in ieder geval niet van plan om bij Frank om hulp te gaan bedelen, dacht ze trots. Ze had Frank helemaal niet nodig, al was hij de vader van haar baby. Wel voelde ze zich schuldig naar het kind toe, omdat ze hem of haar op de wereld zette zonder een vader die zich erom bekommerde. Ze had tenslotte van tevoren kunnen weten dat ze van Frank niets hoefde te verwachten op dat gebied. Maar zij zou vader en moeder tegelijk zijn, beloofde ze zichzelf en haar ongeboren kind in gedachten. De baby zou niets tekort komen, daar zou ze persoonlijk voor zorgen.
"En? Hoe vatte hij het op?" wilde Loes weten.
"Hij heeft niet echt tegengestribbeld," vertelde Paulien. "Al mag ik hem altijd bellen als ik hulp nodig heb."
"Zoals afgelopen week zeker?" Loes trok laatdunkend met haar schouders. "Je kamer is klaar. Welkom in je voorlopig nieuwe huis dan maar. Nu heb ik trouwens een ontzettende honger. Zul-

len we pizza bestellen?"
"Ik trakteer," zei Paulien beslist.
Een uur later genoten ze van een rijkelijk belegde pizza, die hen uitstekend smaakte.
"Hier zou ik verslaafd aan kunnen raken," beweerde Loes terwijl ze onbeschaamd de laatste restjes uit de doos oplikte.
"Helaas voor jou staat er morgen een gezonde maaltijd op het menu," zei Paulien. "Tenminste, als jij de boodschappen daarvoor in huis wilt halen."
Ze schoten samen in de lach, als vanouds. Nog nalachend nam Loes haar rinkelende mobiel op. Paulien zag dat ze van kleur verschoot en snel rechtop ging zitten, alsof de persoon die haar belde dat kon zien. Ze kon wel raden wie er aan de lijn hing, dacht ze geamuseerd, kijkend naar de blos die zich over Loes' wangen verspreidde. Raymond liet er geen gras over groeien. Ze hoopte van harte dat dit iets zou worden. Als er iemand was die ze het geluk gunde, was het Loes wel. Ze kon echter niet voorkomen dat er een klein, pijnlijk steekje van jaloezie door haar lichaam trok. Waarom was zij nou niet een leuke, ongecompliceerde man tegen het lijf gelopen, in plaats van een transseksueel en een onvolwassen macho?

HOOFDSTUK 16

Hoewel Paulien niet veel mocht doen, zette ze voor het eerst sinds lange tijd weer zelf de schouders onder haar leven. Ze schreef haar kindje in bij de crèche die aan het ziekenhuis was verbonden en ging via internet op zoek naar een woning met minimaal drie kamers. Ook probeerde ze al haar verwarde gevoelens op een rijtje te zetten. Ze had nu zoveel tijd om na te denken dat dit laatste haar niet eens zoveel moeite kostte. Nu ze de zaken van een afstand kon bekijken zag ze glashelder in waar ze de fout in was gegaan. Gedreven door haar liefde voor hem had ze Hermans bekentenis dat hij eigenlijk een vrouw was veel te lichtvaardig opgevat. Ze had de tijd niet genomen het te verwerken en zich af te vragen wat dit voor haarzelf zou betekenen, maar was blind met hem meegegaan in zijn wensen en verlangens, er heilig van overtuigd dat zij hem daarin kon steunen. Haar eigen gevoelens over de transformatie had ze opzij gezet in haar verlangen hem te helpen. Het was waarachtig niet vreemd dat het fout was gelopen, want de verandering was zo ingrijpend dat het onmogelijk was om daar zo lichtvoetig mee om te gaan. Ze had gedacht dat de liefde het belangrijkste was, maar zo was het niet altijd. Ondanks hun liefde waren ze toch uit elkaar gegroeid. Door de omstandigheden, maar ook omdat zij er op de verkeerde manier mee om was gegaan, besefte Paulien nu. De schok toen Herman ineens als Hermien voor haar stond was dan ook te groot geweest, omdat ze zich niet voldoende had gerealiseerd wat het werkelijk betekende. Als ze het over zou mogen doen zou ze het heel anders aanpakken, maar dat was achteraf gepraat waar niemand iets aan had. Ondertussen miste ze Hermien meer dan ze had verwacht. Sinds Herman als vrouw door het leven ging was er een andere band tussen hen ontstaan. Anders dan met Herman het geval was geweest, maar zeker niet minder. Er was en bleef iets heel speciaal tussen hen, dat kon Paulien niet ontkennen. Ze had dan ook al een paar keer de telefoon gepakt met het voornemen om Hermien te bellen, maar steeds was ze op het laatste moment van gedachten veranderd. Als ze niet zwanger was geweest had ze de stap misschien wel durven zetten, maar nu waren de omstandigheden er niet naar. Ze konden onmogelijk met een schone lei beginnen terwijl het kind van Frank tussen hen instond. Daar kon ze Hermien niet mee opzadelen, dat was niet eerlijk.

Loes was in deze periode, net als altijd, een rots in de branding voor haar. Zij zorgde ervoor dat Paulien niet teveel hooi op haar vork nam, dat ze voldoende rustte en dat ze niet zoveel piekerde. Hoewel Paulien haar eigen kamer in Loes' appartement had, zat ze daar maar zelden. Veel liever zaten de vriendinnen 's avonds bij elkaar gezellig te kletsen of tv te kijken. Loes vergastte Paulien dan op verhalen over het ziekenhuis, waar ze, stil als de dagen nu voor haar waren, met volle teugen van genoot.

"Wordt er in het ziekenhuis eigenlijk nog veel gepraat over Hermans transformatie?" vroeg ze op een dag. Ze hadden net gegeten en dronken na afloop van de maaltijd koffie, zoals ze iedere avond deden.

"Volgens mij niet." Loes haalde haar schouders op. "Ik hoor er tenminste weinig over. Dergelijke roddels duren nooit zo lang, dat zei ik je toen al. Ieder verhaal wordt altijd snel genoeg ingehaald door een volgend nieuwtje. Ik vraag me wel af of ze Her-

man zullen herkennen als ze hem nu als Hermien zien."
"Waarschijnlijk niet." Paulien dacht aan Hermien zoals ze haar de laatste keer had gezien en er verscheen een zachte glimlach om haar mond, iets wat Loes niet ontging. "Ze is zo'n prachtige vrouw. Vaak zie je het toch nog aan iemand als er een geslachtsverandering plaats heeft gevonden, maar Hermien is op en top vrouw. Er zit niets mannelijks aan haar. Toen ze nog als Herman door het leven ging was dat eigenlijk al zo, alleen is het me toen nooit zo opgevallen. Goed, hij had vrouwelijke trekjes, maar verder zag ik het niet."
"Je mist haar, hè?" constateerde Loes.
Paulien beet op haar onderlip en knikte. "Steeds meer. Ik begrijp nu pas waar het precies fout is gegaan en zou er alles voor over hebben om dat terug te draaien."
"Bel haar dan."
"Dat kan niet. Ik krijg een kind van iemand anders, niet het meest aangewezen moment om toenadering te zoeken. Bovendien ben ik er nog steeds niet van overtuigd of ik echt een relatie met haar wil. Ik ben niet lesbisch."
"Je bent anders van Herman gaan houden mét al zijn vrouwelijke kanten," hielp Loes haar fijntjes herinneren.
"Dat is anders. Voor mij was hij gewoon een man. Een lieve, zorgzame man, heel anders dan Frank. Dat was juist wat me zo in hem aantrok," peinsde Paulien.
"Je hebt jezelf wel wat op de hals gehaald door verliefd op Herman te worden," zei Loes terwijl ze opstond. Ze had die avond een afspraak met Raymond en wilde zich omkleden voordat hij haar kwam halen.

"Heb je nog iets nodig?" vroeg ze voordat ze de deur uit gingen. Paulien schudde haar hoofd. "Gaan jullie maar. Geniet ervan!" riep ze hen nog na.
Het was stil in huis nu Loes er niet was. Overdag had Paulien daar minder last van, maar als ze 's avonds alleen was voelde ze zich vaak down en onrustig. Nu zeker, nadat ze over Hermien gepraat hadden. Alles stond haar ineens weer levensgroot voor ogen. Moeizaam stond ze op. Haar buik ging wel erg in de weg zitten nu. De laatste loodjes waren duidelijk begonnen. Ondanks dat ongemak voelde ze zich gelukkig goed en de controles wezen keer op keer uit dat de baby het prima deed. Paulien had nog niet willen weten van welk geslacht haar kindje was, dat bewaarde ze graag als verrassing. Ze besloot vroeg naar bed te gaan en daar nog wat te lezen. Midden in de nacht schoot ze wakker omdat ze Loes thuis hoorde komen. De zware stem van Raymond klonk door het appartement, gevolgd door die van Loes.
"Sst, Paulien slaapt," siste ze.
"Mooi," hoorde Paulien Raymond zeggen. "Dan hebben we tenminste even de kamer voor onszelf. Kom hier." Gegiechel van Loes klonk op, daarna werd het stil. Blijkbaar waren ze nu aan het zoenen, dacht Paulien met een glimlach. Fijn voor Loes. Zij en Raymond waren de laatste weken een aantal keren met elkaar op stap geweest en die twee konden het uitstekend met elkaar vinden. Dan had ze toch niet voor niets een puinhoop van haar leven gemaakt, dacht Paulien slaperig terwijl ze zich met moeite omdraaide op haar andere zij. Omdat zij haar flat had opgezegd en daarna op stel en sprong bij Frank weg wilde, hadden Loes en Raymond elkaar ontmoet. Zo was er tenminste iets goeds voort-

gekomen uit alle ellende. Dat had Loes dan ook wel verdiend na alles wat ze had gedaan en nog steeds deed.
Paulien merkte dat ze moest plassen, maar ze wilde niet opstaan en zodoende Loes en Raymond storen. Ze moest echt snel een eigen woning hebben, besefte ze. Loes had nu behoefte aan haar privacy.

"Het gaat goed," zei dokter Van Ginkel opgewekt. "Die bloeding was natuurlijk schrikken, maar ik heb helemaal niets op je zwangerschap aan te merken verder. Sterker nog, als je dat wilt mag je terug naar de verloskundige, zodat zij de bevalling kan begeleiden."
"Moet dat?" vroeg Paulien met een benauwd gezicht. Ze was erg op deze arts gesteld geraakt en vertrouwde hem volkomen, een gevoel wat haar verloskundige haar nooit had kunnen geven.
"Nee, je zwangerschap duurt nog maar zo kort, je mag ook bij mij blijven," antwoordde hij.
"Graag. Ik hoop echt dat jij dienst hebt als ik moet bevallen."
"Over drie weken ga ik met vakantie, dus dan moet je wel opschieten," grinnikte hij. "Je bent over twee weken uitgerekend, als je ervoor zorgt dat je baby op tijd geboren wordt is de kans groot dat ik erbij ben."
"Het is een raar idee dat het nu ieder moment kan beginnen. Onwezenlijk." Paulien wreef over haar buik, zoals ze zo vaak deed. "Kan ik zelf iets doen om de weeën op te wekken?"
"Ga alsjeblieft geen rare fratsen uithalen, zoals wonderolie slikken of zo," waarschuwde Van Ginkel haar. "De natuur moet gewoon zijn loop hebben. Wat altijd goed is, is beweging. Dat kan

ook net het laatste duwtje zijn voor je lichaam."
Paulien dacht over die woorden na bij het verlaten van het ziekenhuis. De zon scheen uitnodigend en het was windstil. Perfect weer voor een wandeling, besloot ze. Ze had de laatste tijd zo weinig beweging gehad, ze had best zin om een stuk te lopen. En als dat nu net de trigger was waardoor haar bevalling begon, was dat mooi meegenomen. Ze was die buik behoorlijk zat. Bij alles wat ze deed zat die enorme bult in de weg. Loes had zelfs gisteravond haar teennagels geknipt omdat ze er zelf niet meer bij kon. Paulien had dat best gênant gevonden, hoewel Loes haar hartelijk had uitgelachen.
"Het zijn maar teennagels, hoor. Ik heb er geen probleem mee," had ze gezegd.
Behalve dat ze haar eigen lichaam terug wilde, verlangde ze er ook naar om haar baby eindelijk in haar armen te houden. De nieuwsgierigheid naar het geslacht van haar kindje werd ook steeds groter. Gek eigenlijk, zeven maanden geleden had ze met alles wat in haar was gehoopt dat de zwangerschapstest negatief zou zijn en nu was ze dolgelukkig met het feit dat ze moeder werd. De natuur had zijn werk goed gedaan, dacht ze met een glimlach. Het was niet haar eigen keus geweest om ongepland zwanger te raken en een alleenstaande moeder te worden, toch zou ze het niet terug willen draaien. De band die ze nu al met dit kindje voelde was enorm.
Zo peinzend en nadenkend had ze ongemerkt een heel stuk gelopen, zonder te beseffen waar ze zich bevond. Met een schok kwam Paulien tot de ontdekking dat ze onbewust naar de straat van Hermien was gelopen. Haar hart bonsde luid in haar borstkas

bij deze constatering. Het was of haar geest haar lichaam automatisch deze kant op had gestuurd. Vanaf de hoek van de straat staarde ze naar Hermiens huis, wat haar zo vertrouwd was. Ze had daar zoveel mooie uren doorgebracht.
Schuin aan de overkant bevond zich een plantsoentje met enkele bankjes. Paulien besloot daar een kwartiertje te gaan zitten voordat ze de terugweg naar Loes' appartement zou aanvaarden. De lange wandeling had veel van haar lichaam gevraagd, ze kon wel voelen dat ze weinig meer gewend was. Licht hijgend liet ze zich op een bankje zakken. De rechte, van staaldraad gemaakte bank was niet bepaald comfortabel, maar ze was blij dat ze even kon zitten en haar voeten rust kon geven. Met haar handen op haar buik gevouwen keek ze uit over het plantsoen. In een vijver waren enkele eenden druk met elkaar aan het snateren, een reiger zat onbeweeglijk aan de rand van het water. Een oude man met een al even oude hond sjokte aan de overkant voorbij.
"Paulien?" klonk het ineens achter haar.
Paulien schrok er niet eens van. Het was of ze hier op gewacht had.
"Hermien." Bijna gulzig nam ze haar gezicht in zich op. Het leek iets smaller geworden. Haar haren waren gegroeid en hingen glanzend, met een lichte slag, langs haar kaaklijn. Oorbellen in de vorm van roosjes sierden haar oren. Hermien droeg een lange, bronskleurige jas die haar uitstekend stond. Een sjaal in diverse kleuren was nonchalant om haar nek geknoopt. Onder de jas een huidkleurige panty en spitse schoenen met een klein hakje. Ze vormde een mooie verschijning. En ze was op en top een vrouw, besefte Paulien. De persoon die voor haar stond deed haar in

niets meer herinneren aan Herman. Zelfs de stem klonk anders. Hoger en melodieuzer.
"Wat doe je hier?"
"Ik was aan het wandelen en besefte helemaal niet dat ik deze kant op liep. Ik stond ineens hier op de hoek."
Hermien kwam naast haar zitten. Haar ogen werden meteen getrokken naar de enorm buik die zich duidelijk onder Pauliens jas aftekende. Het kind van Frank. Deze gedachte deed haar bijna lichamelijk pijn.
"Het is goed om je weer te zien," zei Paulien onverwachts. "Je bent... Ik weet niet goed hoe ik het moet zeggen."
"Ik ben een vrouw," zei Hermien hard.
"Een mooie vrouw. Een echte vrouw, niet een verklede man."
"Dat weet ik. Dit ben ik altijd geweest, ondanks mijn buitenkantje."
"Dat heb ik me nooit goed gerealiseerd," bekende Paulien. "Jij was voor mij Herman die er als vrouw uit wilde zien, dat besefte ik achteraf pas. Ik heb de laatste tijd veel nagedacht, Hermien. Ik weet nu waar het fout is gelopen tussen ons."
"Jammer dat je te laat tot die ontdekking bent gekomen," zei Hermien wrang. Weer gleden haar ogen over Pauliens buik. Haar kansen bij Paulien waren nu wel voorgoed voorbij. Ze wist niet dat Paulien naast haar een hevige strijd met zichzelf voerde. De oude aantrekkingskracht tussen hen was er meteen weer, dat voelde ze met elke vezel van haar lijf. Het leek wel of er een magneet tussen hen in zat. Diep in haar hart wilde ze daar dolgraag aan toegeven, maar ze kon het niet. Hermien was een vrouw, die wetenschap hield haar nog steeds tegen om zich volledig aan haar

te geven. Het paste niet in haar plaatje. Ze had zichzelf altijd met een man naast haar gezien.
"Hoe lang nog?" vroeg Hermien.
Paulien begreep meteen wat ze bedoelde.
"Nog twee weken. In principe kan de bevalling nu ieder moment beginnen."
"Zie je er tegenop?"
"Ik zal blij zijn als het zover is."
Daarna zwegen ze een tijdje. Het was een ongemakkelijke stilte en toch voelde het fijn om zo naast elkaar te zitten. Paulien bedwong de aanvechting om met haar hand opzij te schuiven, zodat ze die van Hermien aan kon raken. Zelfs als ze het zou kunnen, dan was het niet eerlijk om zich nu weer in de armen van Hermien te storten. Ze kreeg het kind van Frank. Het was beter om zich op de vlakte te houden.
"Paulien." Ineens draaide Hermien zich naar haar toe en keek haar recht aan.
"Is het… Ik bedoel…" Ze beet op haar lip. Nee, ze kon Paulien niet vragen opnieuw te beginnen. Als het ooit zover zou komen, wat ze met heel haar hart hoopte, dan moest het van Paulien zelf uitkomen. Ze wilde geen makkelijke overwinning, ze wilde alles of niets. En alles kon Paulien haar niet geven, dat had ze duidelijk genoeg gezegd. Het was niet eerlijk om haar te beïnvloeden nu ze op zo'n kwetsbaar punt in haar leven was. "Hoe is het met Frank?" vroeg ze in plaats van de woorden die op het puntje van haar tong lagen naar buiten te laten komen. "Ben je naar hem terug gegaan?"
"Toen wij uit elkaar gingen ben ik bij hem ingetrokken," zei Pau-

lien. Dat was geen leugen, al verzweeg ze expres het feit dat die verhuizing slechts van zeer korte duur was geweest. Het was veiliger als Hermien dacht dat ze nog steeds een relatie met Frank had. Haar gevoelens waren zo verwarrend. Ze was bang voor wat Hermien in haar losmaakte.

"Dat dacht ik al," zei Hermien toonloos. Ze had dit zichzelf al die tijd voorgehouden, toch deed het pijn om het te horen. Paulien hoorde bij háár! Het kostte haar de grootste moeite om haar armen niet om Paulien heen te slaan en haar te kussen. Het was niet de zwangerschap die haar tegenhield, maar de wetenschap dat Paulien zich niet aan een vrouw kon geven. Ze zou nooit het punt bereiken dat ze openlijk aan de buitenwereld zou toegeven dat ze van een vrouw hield, dacht Hermien moedeloos.

"Ik hoop dat jullie heel gelukkig worden met zijn drieën," zei ze terwijl ze opstond. Ze besefte zelf dat dit een regelrechte leugen was. Het enige wat ze hoopte was dat Paulien ooit naar haar terug zou komen.

Met opgeheven hoofd liep ze weg. Niemand kon aan haar zien dat ze zich op dat moment diep ongelukkig voelde, zelfs Paulien niet. Die keek haar hulpeloos na. Was dit het? Hadden ze niet meer tegen elkaar te zeggen dan dit? Heel haar hart ging uit naar de vrouw die zich nu in rap tempo van haar verwijderde. Waarom kon ze niet aan dat gevoel toegeven? Wat hield haar tegen?

Een schop tegen haar ribben bracht haar tot bezinning. Afwezig duwde ze tegen haar buik, waarin haar baby zich druk roerde. Ze had twee verschillende levens geleid. Eentje met Frank en eentje met Hermien. Die twee kon ze niet samenvoegen door met Hermien samen het kind van Frank te krijgen. Dat klopte niet.

Ook Paulien kwam nu overeind. Ze moest hier weg voordat ze alsnog aan haar verlangens toe zou geven en Hermien naar haar huis zou volgen.
Langzaam liep ze het hele stuk terug naar het huis van Loes, waar ze tegelijkertijd met Loes en Raymond arriveerde.
"Raymond gaat voor ons koken," vertelde Loes, een plastic tas omhoog houdend. "Hij kan heerlijke nasi maken, beweert hij. Ik vond het tijd worden dat hij dat eens ging bewijzen."
"Lust je nasi?" informeerde Raymond. "Ik zal het niet al te gekruid maken voor je."
"Ik heb geen honger," zei Paulien dof. "Eten jullie maar, ik ga naar mijn kamer." Ze wilde doorlopen, maar Loes hield haar tegen.
"Gaat het wel?" vroeg ze bezorgd.
Paulien schudde haar hoofd.
"Laat me maar. Ik heb net Hermien gesproken."
"En? Nou ja, geef daar maar geen antwoord op. Ik zie het al aan je. Kan ik iets voor je doen?"
"Me even met rust laten." Paulien glimlachte om die boute woorden te verzachten. "Ik heb het één en ander te verwerken."
"We gaan niet weg, als je me nodig hebt zit ik in de huiskamer," zei Loes nog voordat ze de deur van haar eigen, tijdelijke, kamer achter zich dicht trok.
Paulien ging languit op haar bed liggen. Haar ogen brandden, maar huilen kon ze niet. Ze wist zelf niet eens meer wat ze nu wel of niet voelde. Haar hart schreeuwde om Hermien. Waarom had ze dat niet tegen haar gezegd? Het had zo vertrouwd aangevoeld, naast elkaar op dat ongemakkelijke bankje. Alsof ze nog steeds

bij elkaar hoorden en er niets gebeurd was. Ineens wist Paulien ook waardoor dat kwam, iets wat ze zich de hele weg naar huis had afgevraagd zonder dat ze het had kunnen benoemen. Hermiens ogen. Alles aan Herman was anders geworden, behalve de ogen waar ze destijds als een blok voor gevallen was. Die waren nog precies hetzelfde, ondanks de oogschaduw en mascara die er nu op zaten.

HOOFDSTUK 17

De laatste weken tot aan haar bevalling kropen voorbij. Paulien kon niet veel meer doen, ze bracht haar dagen voornamelijk door met lezen en tv kijken. Alle spullen die ze nodig had voor de baby had ze inmiddels aangeschaft. Het meeste daarvan stond beneden in Loes' kelder, alleen wat ze de eerste weken nodig had, had een plekje in het appartement gevonden. Raymond had het logeerkamertje voorzien van een aantal stevige planken, waar Paulien een voorraad luiers, slabbetjes, kleertjes en badspulletjes op had gezet. Het wiegje kon nog net naast haar bed staan. Het zou even behelpen worden met de ruimte, maar daar zag ze niet tegenop. Dat lukte allemaal wel. Wat ze veel erger vond was dat ze Loes haar privacy ontnam, al bezwoer die haar dat ze dat helemaal niet erg vond.
"Al zou je vandaag woonruimte aangeboden krijgen, dan liet ik je toch niet gaan," zei ze stellig. "Je moet nu niet alleen zijn. Ik vind het trouwens wel gezellig dat je er bent. Alleen is ook maar alleen."
"Alsof jij alleen bent sinds Raymond in je leven is gekomen," wierp Paulien tegen.
Loes glimlachte.
"Wat een heerlijke bijkomstigheid van een nare situatie, hè?" zei ze vrolijk. "Dat heb ik aan jou te danken, Paulien."
"Graag gedaan," gaf die op droge toon terug. "Ik ben blij dat ik je van dienst heb kunnen zijn. Je hebt het trouwens meer dan verdiend." Ze knikte haar vriendin hartelijk toe. "Je straalt helemaal sinds je Raymond hebt."

"Ik had nooit gedacht dat ik nog eens zo volledig voor de bijl zou gaan. Raymond doet al mijn eerdere liefdes verbleken," zei Loes eenvoudig. "Hij heeft me het vertrouwen in de liefde terug gegeven."
Het waren woorden waar Paulien veel aan terugdacht tijdens de stille dagen in de flat, als Loes aan het werk was. Precies zo had zij zich bij Herman gevoeld. Hij was werkelijk alles voor haar geweest. Was dat werkelijk veranderd sinds Herman Hermien was geworden? Dat vrouwelijke had er altijd al zo erg ingezeten bij hem, toch was ze van hem gaan houden. Ineens kwam Paulien tot een helder besef. Hermien was niet Herman in vrouwenkleren, het was juist andersom. Herman was Hermien geweest in mannenpak. Zijn innerlijk was niet veranderd, alleen het uiterlijk. Precies datgene wat ze destijds steeds had geroepen als mensen negatief reageerden, maar wat ze toch vooral had gezegd om zichzelf te overtuigen. Had ze dat maar eerder zo duidelijk gezien. Nu was het te laat. Als ze niet zwanger was geweest van een ander, zou ze naar Hermien zijn toegegaan om te praten en het wellicht bij te leggen, nu kon dat niet meer. Die weg was afgesneden en dat had ze zichzelf aangedaan door dronken met Frank in bed te stappen. Had ze dat niet gedaan, dan was er wellicht nog een kans geweest voor Hermien en haar. Maar als die bewuste avond er niet was geweest, zou ze nu geen baby krijgen en ondanks alles was ze daar heel erg blij mee. Als ze werkelijk moest kiezen tussen Hermien of haar kindje, hoefde ze daar geen seconde over na te denken. Hoeveel ze ook van Hermien hield, haar kind ging ten allen tijde voor. Iets dergelijks moest Herman ook gevoeld hebben, drong het tot haar door. Het was raar om

een geslachtsverandering met een baby te vergelijken, maar het principe was hetzelfde. Hij had niet ter wille van haar, Paulien, een man kunnen blijven, net zomin als zij haar baby op kon geven ten gunste van een relatie met Hermien. Diep in haar hart had ze Herman wel eens verweten dat hij niet genoeg van haar hield om zichzelf te blijven, nu begreep ze dat het niet zo simpel lag. Hij had niet anders gekund. Ook niet, zelfs niet, voor haar.
Ondanks het gemis en het verdriet om hoe het gelopen was, gaf deze gedachte Paulien toch een zekere mate van rust. Er viel niemand iets te verwijten. Vaak had ze zich afgevraagd hoe hun levens verlopen zouden zijn als Herman niet aan zijn verlangens had toegegeven, nu wist ze dat dergelijke gedachten zinloos waren. Het was geen kwestie van iets wel of niet kunnen, het was hoe Herman wás. En zo was ze van haar, toen nog hem, gaan houden. Zo hield ze nog steeds van haar. Het maakte niet uit dat de buitenkant tegenwoordig heel anders was, ze hield van de persoon onder die jurken en de make-up. Het was een liefde die ze altijd bij zich zou dragen, wist ze. Wat er ook nog te gebeuren stond in haar leven, Hermien zou altijd een speciaal plekje in haar hart bezetten. Helaas alleen in haar hart, niet meer in haar leven en haar huis.

"Jij nog een beetje?" Uitnodigend hield Raymond de schaal met fruitsalade aan Paulien voor. "Neem wat, fruit is gezond."
"Nee, dank je, ik zit vol," antwoordde Paulien.
"Dat is je aan te zien," grinnikte hij met een blik naar haar buik. De laatste twee weken was die nog eens extra in omvang toegenomen. Paulien voelde zich alsof ze een skippybal had ingeslikt.

Zo liep ze ook, beweerde Loes. "Ik heb drie zussen en die hebben allemaal kinderen, maar zo dik zijn ze nooit geweest," vervolgde Raymond. "Weet je zeker dat het geen tweeling of een drieling is?"
"Het enige wat ik weet is dat jij weinig subtiel bent," merkte Paulien op. "Je bezit de tact van een pindanootje." Ze grinnikte er echter bij. Van Raymond kon ze veel hebben. Hij maakte Loes gelukkig en alleen daarom al mocht ze hem graag. Hij liet ook nooit merken dat de aanwezigheid van Paulien in Loes' flat een inbreuk op hun privacy was. Hij had haar als vanzelfsprekend geaccepteerd als vriendin van Loes, iemand die bij haar hoorde. Paulien was dan ook niet bang dat de relatie tussen Loes en Raymond een wig tussen hen zou drijven, zoals je zo vaak hoorde. Veel vrouwenvriendschappen gingen kapot als er een man in het spel kwam. Bij hen zou dat niet zo gaan, daar was ze van overtuigd.
Met zijn drieën ruimden ze de tafel af en werkten ze de afwas weg, al drongen Loes en Raymond erop aan dat Paulien moest gaan zitten. Ze zat echter de hele dag al, ze was blij dat ze iets te doen had. Het werd hoog tijd dat de bevalling begon, want ze kon zo langzamerhand geen kant meer op. Precies op dat punt van haar gedachten trok er een kramp door haar lichaam heen die haar liet verstijven. Ze hield haar adem in. Was dit het? Was dat een wee? Tien minuten later gebeurde hetzelfde en tien minuten daarna voelde ze het opnieuw. Ze kon haar opwinding maar nauwelijks verbergen. De bevalling was begonnen! Over een paar uur zou ze haar kind in haar armen kunnen nemen, eindelijk. Omdat ze naar een film zaten te kijken die Loes graag had willen

zien, besloot Paulien nog niets te zeggen. Zij was de draad van het verhaal wat zich op het scherm afspeelde echter allang kwijt. Iedere nieuwe kramp die ze voelde, begroette ze inwendig met gejuich. Na twee uur, toen Loes de tv uitzette, was er van dat gejuich nog maar weinig over. Ze had zich wel eens proberen voor te stellen hoe een wee moest voelen, maar deze pijn ging haar verbeelding voorbij. En dit was nog maar het begin, dat realiseerde ze zich heel goed. Het zou waarschijnlijk nog veel en veel erger worden voordat ze haar kind op de wereld kon begroeten. Geen aanlokkelijke gedachte.
"Dat was een goede film," zei Loes tevreden. "Willen jullie nog iets drinken? Ik heb ook kleine pizza's gemaakt, lekker bij een wijntje. Of bij een vruchtensapje, in jouw geval." Ze wees naar Paulien, maar de glimlach verstijfde op haar gezicht. "Wat heb je?" vroeg ze gealarmeerd.
"De weeën zijn begonnen," bekende Paulien. "Ik ben bang, Loes."
"Niet nodig." Loes ging op de grond voor Paulien zitten en pakte haar handen vast. Ze kneep er bemoedigend in. "Miljoenen vrouwen voor je hebben dit ook doorstaan en er zullen er nog miljoenen volgen. Je kunt het."
"Wil jij erbij blijven?" vroeg Paulien kleintjes.
"Natuurlijk, daar had ik allang op gerekend," was het vanzelfsprekende antwoord. "Ik heb met onze chef al afgesproken dat ik vrij kan nemen zodra het begint. Dus graag niet bevallen voor morgenochtend, anders boor je me een vrije dag door mijn neus," liet ze daar grinnikend op volgen.
Paulien lachte niet met haar mee. Ze werd volledig in beslag genomen door een nieuwe krampaanval.

“Moeten we niet naar het ziekenhuis?” informeerde Raymond bezorgd.
Loes keek naar Paulien en die knikte. Ze had geen idee of dat al nodig was, maar ze wilde liever in de veilige omgeving van het ziekenhuis zijn nu. Haar buik voelde in ieder geval aan alsof de baby ieder moment naar buiten kon komen.
Dat bleek vies tegen te vallen. Dokter Van Ginkel, die gelukkig voor Paulien dienst had, constateerde een half uur later dat ze slechts één centimeter ontsluiting had.
“Het gaat nog wel even duren,” zei hij dan ook.
“Ben ik te vroeg gekomen?” vroeg Paulien onzeker.
“Beter te vroeg dan te laat,” was zijn antwoord. “Ik laat een verloskamer voor je in orde maken, maar daar hoef je niet nu al te blijven liggen. Lopen is veel beter, dat bevordert de ontsluiting.”
Er volgde een zware nacht voor Paulien. En voor Loes en Raymond niet te vergeten, die onvermoeibaar met haar door de lange gangen liepen. Raymond ging in de loop van de nacht naar huis om nog een paar uur te kunnen slapen voor de nieuwe werkdag begon, Loes bleef. Regina had Tanja aangewezen om bij de bevalling te assisteren, zodat Paulien omringd werd door mensen die ze kende en vertrouwde, toch had ze het moeilijk. Niet alleen lichamelijk, maar ook geestelijk. Beelden uit het verleden spookten door haar hoofd heen tijdens de lange uren waarin ze hard werkte om haar kind op de wereld te zetten. Hermiens gezicht leek wel op haar netvlies gebrand te staan.
Tegen de ochtend had ze pas drie centimeter ontsluiting, ondanks al die uren weeën weg puffen en pijn verbijten. De gynaecoloog keek bezorgd terwijl hij de hartslag van de baby controleerde.

“Het duurt te lang, de baby krijgt het benauwd. Ik ga een keizersnee uitvoeren,” besloot hij.
Paulien vond alles best. Het kon haar allang niet meer schelen hoe de baby eruit kwam, als hij maar kwam. De romantische voorstelling die ze van tevoren over haar bevalling had gemaakt, was allang uit haar hoofd verdwenen. Hier was niets romantisch aan. Ze was doodmoe van de doorwaakte nacht en koos zonder er lang over na te denken voor een volledige narcose in plaats van voor een ruggenprik. Loes mocht, gekleed in een speciaal operatiepak, aan het hoofdeinde van de operatietafel staan om toe te kijken hoe de baby ter wereld kwam. Gespannen wachtte ze dat moment af. Ze had zo intens met Paulien meegeleefd dat het bijna voelde alsof ze zelf een kind kreeg. De tranen van ontroering stroomden over haar wangen toen Van Ginkel na enkele minuten de baby uit de baarmoeder haalde en even boven het groene scherm uit tilde, zodat ze het goed kon zien.
“Het is een meisje,” zei hij. Snel overhandigde hij de baby aan de aanwezige kinderarts, zodat het kleine meisje helemaal nagekeken kon worden. Die berichtte even later dat de baby volkomen gezond was.
“Ze scoort twee tienen,” zei hij trots, alsof hij daar persoonlijk verantwoordelijk voor was.
Uit voorzorg werd de baby nog even in de couveuse gelegd, een standaardprocedure in dit ziekenhuis na een keizersnede.
Paulien werd, nadat de wond in haar buik was gehecht, naar de uitslaapkamer gebracht. Loes zat stilletjes naast haar bed te wachten tot ze bijkwam uit de diepe narcose, met heel wat om over na te denken. Zij had de baby goed kunnen bekijken en ze had zo

haar eigen vermoedens omtrent de vader van dit kindje. De baby leek in niets op Frank, maar des te meer op Herman. Maar dat zei niet alles, hield ze zichzelf voor. Baby's veranderden met de dag. Morgen kon ze net zo makkelijk het evenbeeld van Frank zijn. Vreemd vond ze het wel. Paulien was heel stellig geweest in haar bewering dat Herman onvruchtbaar was, al had Loes daar altijd haar twijfels over gehad. Paulien had haar woordelijk verteld wat er tussen Herman en haar besproken was en zij had het woord 'onvruchtbaar' daarbij niet gehoord. Ze vroeg zich net af wat ze met deze vermoedens aan moest toen Paulien wakker begon te worden uit de narcose. Ze bewoog haar hoofd onrustig van links naar recht, hoewel haar ogen nog gesloten waren.
"Hermien," mompelde ze. "Waar ben je, Hermien? Ik mis je zo." Uit haar gesloten oogleden druppelden langzaam twee tranen naar beneden. Met medelijden in haar blik keek Loes naar haar vriendin. Pauliens onderbewuste wist blijkbaar allang wat ze wilde, hoeveel verstandelijke argumenten daar ook tegenover stonden. Op dat moment nam Loes een besluit. Ze wist wat ze moest doen en dat plannetje wilde ze zo snel mogelijk uitvoeren. Ze verliet het ziekenhuis echter niet voordat Paulien goed bij was en over was gebracht naar een verpleegkamer. Omdat de baby een paar uur in de couveuse moest blijven, kreeg ze een fototje van haar. Zowel Paulien als Loes bewonderden die uitgebreid.
"Ik kan het nog steeds niet geloven," zei Paulien zacht. "Ik heb een dochter."
"En wat voor eentje," glimlachte Loes. "Dat moment waarop ze uit je buik werd getild was zo speciaal. Ik was blij dat ik daarbij mocht zijn. Het was echt uniek. Hoe gaat ze heten?"

“Nicky,” antwoordde Paulien.
“Wat een leuke naam. Pittig.”
“Te voelen naar hoe ze in mijn buik tekeer ging, is ze dat ook,” zei Paulien. Ze geeuwde, wat voor Loes het sein was om op te staan.
“Ga lekker slapen, je bent doodop van alles. Als je straks wakker wordt zullen ze Nicky wel bij je brengen. Ze doet het hartstikke goed.”
“Jij zal ook wel moe zijn,” zei Paulien terwijl haar ogen al dicht vielen.
“Ik ga nu ook weg,” zei Loes.
Dat klopte, alleen liep ze vanaf het ziekenhuis niet naar haar eigen huis, maar naar de woning van Hermien. Het was inmiddels half tien en ze wist niet of Hermien inmiddels een andere baan had gevonden, dus ze kon alleen maar hopen dat ze thuis was. Het geluk was met haar. Kort nadat ze had aangebeld werd de deur geopend.
“Loes?” Hermiens stem klonk hoogst verbaasd bij het zien wie er voor haar deur stond.
“Kan ik even met je praten?” vroeg Loes gespannen. Er hing veel van dit gesprek af en de zenuwen gierden door haar lijf. Het kon alle kanten op gaan.
“Natuurlijk. Kom binnen.” Uitnodigend hield Hermien de deur open. Loes wierp een snelle blik op haar terwijl ze langs haar heen de hal inliep. Hermien zag er fantastisch uit, moest ze toegeven. Sinds ze als vrouw door het leven ging had Loes haar niet meer gezien, maar in het tengere figuurtje met het knappe regelmatige gezicht, de grote ogen, volle mond en het perfect in

model geknipte haar was er niets meer van Herman te ontdekken. Zoals Paulien al had gezegd was ze op en top vrouw en zeker geen verklede man.
"Is er iets met Paulien aan de hand?" vroeg Hermien. Haar handen trilden bij die vraag.
"Paulien is vanochtend bevallen van een gezonde dochter," vertelde Loes.
"En jij komt hierheen om me dat te vertellen?" Hermien trok haar wenkbrauwen hoog op. "Waarom denk je dat ik dat wilde weten? Ik heb hier niets mee te maken, Loes. Paulien heeft voor Frank gekozen."
"De relatie tussen Frank en Paulien is al maanden voorbij."
"Echt? Maar ze wonen samen."
Loes schudde haar hoofd en vertelde hoe dat gegaan was. "Paulien logeert voorlopig bij mij," eindigde ze haar verhaal.
Dit moest Hermien even laten bezinken. Als ze dat had geweten tijdens dat laatste gesprek was het misschien heel anders gelopen. "Als Paulien mij terug had gewild, had ze dat wel gezegd," zei ze toen moedeloos. "We hebben elkaar nog niet zo lang geleden gesproken. Het is echt voorbij, dus ik begrijp niet goed wat je hier komt doen."
"Er is wel degelijk een reden voor mijn komst." Nerveus trommelde Loes met haar vingers op het tafelblad. "Paulien weet overigens niet dat ik hier ben. Ze mist je, Hermien. Dat wist ik al, maar tijdens het ontwaken uit haar narcose riep ze om je. Een duidelijker teken dat ze van je houdt is er niet."
Heel even verscheen er een trek van blijdschap op Hermiens gezicht, daarna versomberde haar blik weer.

"Ze mist mij niet, maar de persoon die ik was. Paulien wil geen relatie met een vrouw. Sterker nog, ze schaamt zich voor me. Denk je dat ik dat niet gemerkt heb? Dat doet pijn, Loes. Veel meer pijn dan je je voor kunt stellen. Ik heb al die tijd gedaan of ik het niet merkte, maar ik voelde het wel degelijk."
"Ze riep om Hermien, niet om Herman," zei Loes met nadruk.
"Werkelijk? Dat weet je zeker?"
"Ik heb een doorwaakte nacht achter de rug en ik ben moe, maar bij mijn weten nog steeds niet doof," lachte Loes. "Paulien heeft een hevige strijd met zichzelf gevoerd. Inmiddels weet ze wat ze wil, maar gezien de omstandigheden durft ze je dat niet te zeggen. Ze heeft net een kind gekregen."
"Het kind van Frank. Ook al wonen ze niet meer samen, dat gegeven blijft." Hermiens stem klonk bitter. "Dat zou op zich geen belemmering voor me zijn, maar het maakt de zaken er niet makkelijker op. Door dit kind zal Paulien altijd verbonden blijven met Frank. Het is een herinnering die we nooit meer uit kunnen wissen. Ik weet niet of een eventuele hernieuwde relatie van ons daar tegen bestand is."
"Dat valt nog te bezien." Loes zocht naar de juiste woorden. Ze wilde niets zeggen wat ze niet kon verantwoorden, maar terugdenkend aan het gezichtje van de baby sprak ze toch verder. "Mag ik je iets heel persoonlijks vragen?"
"Ga je gang."
"Ben jij onvruchtbaar?"
"Wat? Wat is dat voor een vraag? Waar slaat dit op?"
"Dat is wat Paulien me verteld heeft en waardoor ze zeker wist dat de baby van Frank is. Ik heb haar net echter gezien en ik heb

daar mijn twijfels over. Misschien ben ik veel te voorbarig en maak ik je nu blij met een dode mus, maar de baby lijkt op jou."
"Maar… Ik…" Hermien schudde haar hoofd. Ze beefde over haar hele lichaam. "Waarom zegt Paulien zulke dingen? Blijkbaar was de wens de vader van de gedachte en wilde ze liever Frank als vader van haar kind dan mij."
"Dat is het niet," zei Loes meteen. "Jij hebt ooit tegen Paulien gezegd dat het krijgen van kinderen voor jou niet aan de orde is en daar heeft ze de conclusie uit getrokken dat je onvruchtbaar bent."
Hermien dacht diep na. Er was zoveel gebeurd en zoveel tussen haar en Paulien besproken dat ze zich dit gesprek niet meteen voor de geest kon halen. Het duurde even voor ze wist op welk gesprek Loes doelde.
"Dat was vlak voordat ik haar vertelde dat ik transseksueel ben," herinnerde ze zich. "Ik was net zelf tot de conclusie gekomen dat mijn leven één grote leugen was en dat ik het roer om moest gooien als ik ooit gelukkig wilde worden. Een kind paste daar niet in, daarom heb ik dat gezegd. Ik heb jarenlang niets liever gewild dan een eigen kind, maar als vrouw is het voor mij uiteraard onmogelijk om zwanger te raken. Heeft ze echt… Mijn hemel!" Er sprongen tranen in Hermiens ogen toen ze besefte wat dit betekende. "De baby is van mij? Ik heb een kind?"
"Dat vermoed ik, ik weet het niet zeker," verklaarde Loes haastig. "De gelijkenis is echter treffend, dat kan volgens mij geen toeval zijn. Ik heb wel eens gehoord dat de natuur het zo regelt dat pasgeboren kinderen op hun vader lijken, om misverstanden uit te sluiten."

“Ik moet naar haar toe.” Zenuwachtig kwam Hermien overeind, haar blik stond verwilderd. “Waar is ze? Thuis? Nee, natuurlijk niet,” gaf ze daar zelf het antwoord al op.
“Ze ligt in het ziekenhuis, maar slaapt nu. Je kunt beter wachten tot het middagbezoekuur,” adviseerde Loes haar.
“Dat duurt nog een paar uur.”
“Dan kun je mooi een pot koffie zetten,” grijnsde Loes. “Als ik ergens aan toe ben, is het dat wel.”
Ze leunde achterover in afwachting van de warme drank. Het eerste deel van haar missie was in ieder geval geslaagd, nu was het nog afwachten hoe Paulien zou reageren. Ze hoopte van harte dat het in orde zou komen tussen deze twee vrouwen. Ze hadden beiden wel wat geluk verdiend.

SLOT

In de loop van de middag werd Nicky bij Paulien gebracht. Eindelijk kon ze haar kind dan echt vasthouden. Half liggend, half zittend, gesteund door een aantal kussens in haar rug, nam ze het kleine gezichtje in zich op. In de trekken van het slapende kindje meende ze Hermien te herkennen, een gedachte die ze meteen ver van zich afschoof. Ze zag tegenwoordig overal Hermien in. Ze kon geen vrouw op straat tegenkomen of ze keek of het Hermien was. Het leek zo langzamerhand wel een spookbeeld wat haar achtervolgde.
Ondanks de pijn in haar onderlichaam en het feit dat ze zich geradbraakt voelde, was ze toch gelukkig. Nicky maakte haar compleet. De weg naar haar geboorte was zeker niet makkelijk geweest, maar deze baby maakte alles waard. Bijna alles. Ze kon niet voorkomen dat dit in haar hoofd opkwam. Het zou helemaal volmaakt zijn als... Wild schudde ze met haar hoofd. Dat was afgesloten, voorbij. Ze kon maar beter helemaal niet meer aan die periode van haar leven terug denken.
Ze was zich niet bewust van het feit dat Hermien op datzelfde moment de grote hal van het ziekenhuis betrad. Hoewel ze de weg hier uiteraard op haar duimpje kende, liep ze in haar zenuwen toch de verkeerde kant op, zodat ze in de polikliniek uitkwam in plaats van in de hal waar de liften naar de verpleegafdelingen zich bevonden. Ze was zo in haar gedachten verdiept dat ze dat pas merkte toen ze tegen een voor haar onbekende verpleegster opbotste.
"Gaat het wel, mevrouw?" vroeg die vriendelijk.

“Ik moet hier helemaal niet zijn,” zei Hermien, verbaasd om zich heen kijkend. Ze was beland op de bloedafname, de plek waar ze Paulien voor het eerst had ontmoet. Toen was zij degene die verkeerd was gelopen, herinnerde ze zich pijnlijk duidelijk. Er was direct een klik tussen hen geweest, al had ze daar niet aan toe willen geven. Ondanks dat voornemen had Paulien zich in no time in haar hart genesteld, om die plek nooit meer te verlaten. Als man was ze van haar gaan houden en als vrouw deed ze dat nog steeds. Hermien wist niet of dat haar lesbisch maakte of niet, het kon haar ook niets schelen. In haar leven verliep niets volgens het geijkte plaatje, daar kon ze zich allang niet meer druk om maken.
Behoedzaam opende ze even later de juiste kamerdeur. Paulien zat half rechtop in de kussens, in haar armen hield ze de mooiste baby die Hermien ooit gezien had. Ongemerkt observeerde ze haar even, met een brok in haar keel. Er was geen vaderschapstest nodig om te zien dat dit haar kindje was. De gelijkenis was overduidelijk. Hermien werd overspoeld door gevoelens van liefde bij het kijken naar de kleine wezentje. Voordat ze daadwerkelijk vrouw werd had ze dolgraag een kind willen krijgen, maar dat had ze altijd verdrongen. Ten eerste omdat ze voor Paulien nooit een vrouw had ontmoet waar ze haar leven mee wilde delen, ten tweede omdat ze het niet eerlijk vond tegenover een eventueel kind. De worsteling waar ze midden in zat slokte al haar energie en aandacht op, daar mocht ze een kind niet aan blootstellen. En nu was, door een bizarre speling van het lot, die wens alsnog uitgekomen! Al was zij dan geen standaardvader, ze zou dit kind alle liefde geven die haar toekwam, nam Hermien zich voor. Ze

kon niet voorkomen dat er een snik in haar keel opwelde, een geluid waardoor Paulien opkeek.
"Hermien!" Ze wist zelf niet eens of ze haar naam schreeuwde of fluisterde. Een gevoel van geluk nam bezit van haar lichaam en haar ogen begonnen te stralen. "Hermien," zei ze nog een keer. "Je bent het echt." Onbewust strekt ze haar hand naar haar uit.
Hermien liep snel naar binnen en pakte die hand vast. Ineens was alles duidelijk, alle stukjes vielen op hun plaats. Terwijl ze diep in elkaars ogen keken wisten ze beiden dat ze bij elkaar hoorden. Wat hen ook uit elkaar gedreven had, dat was nu verleden tijd.
"Ik hou van je," zei Hermien schor. Het was de enige zin die ze op dat moment kon bedenken.
"Ik hou ook van jou." Deze woorden kwamen recht uit Pauliens hart. Ze trok Hermien naast zich op het bed en zoende haar. Een lange, tedere kus, waar al haar liefde uit sprak. Het voelde alleen maar fijn en helemaal niet vreemd, ook al had ze nog nooit van haar leven een vrouw op deze manier gezoend. Het maakte niet uit dat Hermien een vrouw was. Ze was van haar gaan houden toen ze een man was, maar de transformatie naar vrouw had niets aan haar gevoelens veranderd, wist ze nu heel zeker. Ze hield van haar als persoon, daar deed het geslacht niets aan af.
Lang bleven ze zo zitten, met de baby tussen hen in.
"Hoe heet ze?" vroeg Hermien uiteindelijk.
"Nicky."
Hermien keek haar verrast aan. "Nicky… Mijn favoriete naam."
"Dat wist ik," zei Paulien eenvoudig.
"Ze is van mij, Paulien. Niet alleen gevoelsmatig, maar echt. Helemaal. Kijk maar naar haar gezichtje."

Paulien knikte langzaam. “Ik heb de gelijkenis gezien, maar ik begrijp het niet.”
“Ik heb je nooit gezegd dat ik onvruchtbaar was. Ik zei dat kinderen krijgen voor mij niet aan de orde was, daar heb jij die conclusie uit getrokken.”
Paulien keek van Nicky naar Hermien. Het moest wel waar zijn.
“Wat stom,” bracht ze uit. “Ik dacht dat dat het probleem was waar je mee worstelde. Had ik het maar eerder geweten.”
“Nee.” Hermien schudde haar hoofd. “Volgens mij is het heel goed dat het zo gelopen is. Als ik had geweten dat de baby van mij was had ik je nooit laten gaan en dat had alleen maar tot spanningen en ruzies geleid tussen ons. Nu zijn we los van elkaar gegroeid en hebben we ons allebei op onszelf kunnen richten. Iets wat nodig was, maar wat nooit was gelukt als we samen waren gebleven. Dan waren we waarschijnlijk na veel ruzies uit elkaar gegaan. Nu weten we allebei waar we staan en wat we aan elkaar hebben.”
“Daar zou je wel eens gelijk in kunnen hebben,” gaf Paulien toe. “Ik had tijd nodig om alles op een rijtje te zetten.
“En ik moest aan mezelf werken. Daar had ik me nooit helemaal op kunnen richten als ik had geweten dat ik een kind zou krijgen.” Hermien keek peinzend naar Nicky. “Wat ben ik nu eigenlijk van haar? Haar vader? Een tweede moeder? Dat zijn vragen die blijven, Paulien. Het zal nooit makkelijk gaan bij ons. De buitenwereld zal altijd een mening hebben. Kun jij…”
Ze wilde Paulien vragen of ze over haar schaamte heen was gegroeid en of ze ook aan de buitenwereld toe durfde te geven dat ze van een vrouw hield. Dat was een heikel punt voor haar. Hoeveel

ze ook van Paulien hield, ze wilde nog steeds alles of niets. Geen stiekeme relatie waarvan iedereen dacht dat het alleen vriendschap was. Ze had zich al te lang verstopt, dar wilde ze niet meer. Samen met Paulien en Nicky wilde ze een echt gezin vormen en iedereen mocht weten hoe het zat. Net op het moment dat ze deze zo belangrijke vraag wilde stellen werd de deur echter geopend en kwam Regina binnen. Ze groette Hermien vriendelijk, zonder te beseffen dat dit haar voormalige medewerkster was.
"Sorry dat ik stoor," wendde ze zich tot Paulien. "Maar het is tijd voor je medicatie. Het is heel belangrijk dat je die op vaste tijden inneemt." Ze overhandigde haar een pil en een glas water en keek toe hoe Paulien gehoorzaam het medicijn inslikte. "Veel plezier nog samen," zei Regina toen. Ze knikte naar Hermien. "Is dit je zus?"
"Nee." Paulien richtte zich op. Haar blik rustte liefdevol op Hermien en ze pakte stevig haar hand vast. "Dit is mijn partner. We gaan binnenkort trouwen." Haar stem klonk vast en trots, zonder een spoortje twijfel.